福茗堂茶莊

本號在太子行開張檢提細嫩茶葉加芽揉造發行
香港中環遮打道太子行商場二百十二室

梅花水片

六安包種

金圓貢品烏龍

鐵觀音

狀元梅花水片

神農氏就開始試嚐百草。當他嚐到一種開著乳白色花朵的樹上的嫩葉時，發現這種綠葉真奇怪，一吃到肚子裡，就從上到下，到處流動洗滌，好似把腸胃洗滌得乾乾淨淨，他就稱這種綠葉為「查」，以後人們叫成「茶了」。

浮，他就稱這種綠葉為「查」，以後人們叫成「茶了」。

神農嚐百草，日遇七十二毒，得茶而解之。以後人類發現茶葉對人體有此功用以後，對茶葉就開始注意和重視起來。據古籍記載，茶葉最初用作藥用；到了春秋時代，已經提到用茶葉作藥飲，全靠茶來解救。茶和其他植物一樣，從發現到利用，需要經過一段漫長的歲月。

當原始人類發現茶葉對人體有醫療效用以後，對茶葉就開始注意和重視起來。

因此，對茶葉作最初飲料，但沒有定論。有許多文獻中的記載。有的人認為「秦人取蜀（四川）」，即產茶和飲茶始於秦漢時。三國時，吳未帝孫皓給因大臣韋曜酒當茶。

有一段關於漢代飲茶的記載，漢成帝崩，在《趙飛燕別傳》中，

茶葉作藥用，即產茶和飲茶始於秦漢時，即產茶和飲茶之事。有的文獻認為「秦人取蜀」，而作者說法不一，眾說紛紜。

據古籍記載，茶葉最初用作藥用，到了春秋時代，已經提到用茶葉作藥飲。

左右秦帝，后如日侍帝不離，不合啜此茶。

曾在江蘇宜興茗嶺「課童藝茶」漢王代，往年回紀入

江臨海蓋竹山有仙翁茶園，漢朝名士、浙江余姚人虞洪，遇仙人丹丘子，獲得大茗，等等。

開始收毛學童，傳授生產茶葉的技藝。

一可知唐時飲茶之風，已由南方傳播到黃河北岸，並且遠傳到塞外西北各地。不但如此，就是原來只飲酪漿，並以茶為恥事的少數民族，一日領略了飲茶的特殊風味，也很快染上愛吃茶的嗜好。茶遂漸成為他們日常生活中不可缺少的必需品。

唐朝李肇著的《國史補》記載：唐

「……古人亦飲茶耳，翁之甚，窮日盡夜。」同書又說：「城市多開店舖，煎茶賣之，不問道俗，投錢取飲。」

其茶自江淮而來，舟車相繼，所在山積，色額甚多。

中從河北的部份地區，直至當時的首都長安「城市多開店舖」，投錢取飲。

後貿東來，並在本國上層社會品嚐飲茶，茶葉，最初提到我國綠茶葉的是明世宗嘉靖三十八年（公元一五五九年）威尼斯著名作家拉目沃所著的《中國本》和《海與旅行記》兩書。葡萄牙傳教士克魯茲神父是最早把飲茶介紹到歐洲的最早記錄。以後，茶葉就成為荷蘭最時髦的飲料。

英國一個名叫威士的船長寄信給英國，首次以成本的船長寫程寄到英國，這是已成的船長寄程寄到荷蘭人的宣傳，飲茶之風波及到英、法等國。明神宗萬曆三十五年（公元一六○七年），荷蘭海船自爪哇來澳門販茶轉運歐洲，這是茶葉直接販銷往歐洲的最早記錄。以後，茶字就按照荷蘭文的發音叫「Te」，以後瑞典、丹麥、法國、西班牙、德國、匈牙利等國的荷船都於荷蘭人的宣傳，飲茶之風波及到英、法等國。

英人從我國內消費茶外，還轉運到美洲殖民地。一六四四年，英人在廈門設立商務機構，專門販茶，以廈門人稱茶音的「Te」拼音為「Tea」。以後把茶的英文名稱拼音為Tea。以後中國茶葉於荷蘭人的宣傳，至，都從中國版運茶葉，一六六二年，

茶葉及飲茶方法知識傳入歐洲。明神宗萬曆三十五年（公元一六○七年），

LE LIVRE DU THÉ

CONCEPTION
MARC WALTER

PREFACE
PAR ANTHONY BURGESS

Flammarion

Direction éditoriale
GHISLAINE BAVOILLOT

Création graphique :
MARC WALTER

Iconographie
SABINE ARQUÉ
NADINE BAUTHÉAC

Carte
LÉONIE SCHLOSSER

Réalisation PAO
OCTAVO ÉDITIONS

Photogravure
COLOURSCAN FRANCE

© Flammarion Paris

ISBN : 2-08-200564-X

N° d'édition : 0316

Imprimé en Italie

Dépôt légal : octobre 1991

· LE THÉ ·
D'ALBION

par Anthony Burgess

Les Français ont trop longtemps considéré le goût des Britanniques pour le thé comme une excentricité, au même titre que la sauce à la menthe servie avec le gigot. Cette dernière spécialité de la cuisine britannique a fait l'objet d'une aimable satire dans le volume des aventures d'Astérix et Obélix qui les voit partir chez leurs cousins bretons pour les aider à harceler l'occupant romain. Obélix en pleure presque de devoir manger du sanglier bouilli accompagné de sauce à la menthe. Les Britanniques n'ont jamais fait bouillir de sanglier et ils réservent leur mélange de menthe fraîche hachée, de sucre et de vinaigre exclusivement aux côtelettes d'agneau et au gigot. Dans la même bande dessinée, le druide Panoramix reçoit un arrivage d'étranges feuilles venues de Chine. Il les jette dans l'eau chaude que les guerriers britanniques boivent entre deux batailles. L'infusion ainsi obtenue les incite à se battre comme des diables. Il s'agit, bien entendu, de *chai* ou *char*. De thé,

autrement dit, que les Anglais prononcent pour la plupart «tiiii», encore que les Irlandais et mes compatriotes du Lancashire restent attachés à l'ancienne voyelle qu'on retrouve en français.

Samuel Pepys, chroniqueur du règne de Charles II, qui accéda au trône d'Angleterre en 1660, note avoir bu du «*tay*, qui est une boisson de Chine, pour la première fois de [sa] vie». Il ne dit pas s'il le trouve à son goût. Son mode de préparation suscita d'emblée des divergences. Le thé pouvait être soit trop fort soit trop léger. Fallait-il le sucrer ou non ? Au XVIIIe siècle le plus grand buveur de thé de tous les temps fixa la manière dont les Britanniques devaient le déguster. Il s'agissait du docteur Samuel Johnson, le lexicographe qui créa son immense dictionnaire anglais à lui seul, sans nul doute sous la stimulation du thé. Sa théière contenait deux litres de thé. Il le buvait fort, atténuant l'astringence du tanin avec un peu de lait et ajoutant du sucre en petits cubes. Chez une dame distinguée, il

«Si vous vous retrouvez avec un cadavre sur les bras, qu'il s'agit de votre mari gisant au premier étage et que vous ne savez pas comment vous sortir de ce pétrin, la meilleure chose à faire est de vous préparer une bonne tasse de thé bien fort.» Anthony Burgess, *One hand clapping*. Sans thé et sans humour, les Anglais ne seraient pas ce qu'ils sont. Une moyenne de six tasses par jour et par habitant fait d'eux – avec les Chinois – les plus grands consommateurs de thé au monde. Ci-contre, une femme de chambre à Cambridge, en 1939, lors d'un rite obligé ponctuant la journée de travail : le *tea break*, ou pause-thé (ci-contre).

n'eut de cesse de tendre sa tasse afin qu'on lui en reserve encore et encore, jusqu'à ce qu'il en eût ingéré trente-deux tasses. «Docteur Johnson, lui dit la dame, vous buvez trop de thé. – Madame, lui répondit-il, vous êtes impertinente.» De toute évidence, l'institution très britannique du thé, ou du *five o'clock*, était établie dès cette époque. Elle est encore en vigueur. Le thé est devenu non seulement le nom d'un breuvage, mais celui d'un repas. Sandwichs et gâteaux accompagnent les joyeuses tasses de thé. Dans le nord de l'Angleterre, où le repas s'appelle *high tea* («grand thé»), on sert également des côtelettes d'agneau et des pommes de terre sautées. Le thé, si l'on peut dire, baigne dans la nourriture ambiante. Mais il est toujours là, chaud, fort et copieux.

Les premiers buveurs de thé britanniques recevaient leurs feuilles de Chine. Mais les variétés plus fortes et moins délicates d'Inde et de Ceylan ont eu tendance à dominer le marché (dont le centre est Mincing Lane, au cœur de cette partie de Londres qu'on appelle la *City*). Le thé de Chine est fait pour les personnes raffinées, comme Oscar Wilde ; ceux de ses compatriotes qui vivent encore en Irlande exigent la brutale variété indienne, infusée à l'excès. Le goût irlandais en matière de thé est également celui de la classe laborieuse britannique. La plupart des théomanes d'ori-

gine modeste, dont je suis, choisiront le Irish Breakfast Tea de Twining – en feuilles ou en sachet –, dont le Darjeeling de Twining est un proche concurrent. Dans les salons des classes dirigeantes, on préfère le parfum de l'Earl Grey ou du Lapsang. Les masses populaires, lorsqu'on leur sert le thé dans un dé à coudre à la table d'un restaurant chinois, acceptent l'exotique offrande, mais sans la prendre au sérieux. Après le repas, elles rentrent chez elles et préparent du vrai thé, c'est-à-dire indien ou ceylanais. La manière russe, transmise aux immigrés juifs de Grande-Bretagne, est inacceptable aux yeux des goyim britanniques pour deux raisons : le breuvage est servi sans lait et dans un verre. Mais il est fort (le Caravane russe n'a nullement l'allure fragile de la variété chinoise) et il est édulcoré avec une cuillerée de confiture. Mais un *stakan chai* – un verre de thé – est une redoutable anomalie. Le thé n'est pas thé pour les Britanniques à moins d'être versé dans une tasse.

Une tasse, certes ; mais il existe une division de classe centrée sur ce qu'on entend précisément par tasse. Les classes supérieures utilisent la plus fine porcelaine de Chine, mais où l'on peut à peine verser une simple gorgée de thé. Le *mug* – tasse bien plus haute, sans soustasse – est le récipient des classes inférieures. Cette division des classes est devenue d'une évidence criante

«La boisson préserve en parfaite santé jusqu'à un âge extrêmement avancé. Elle rend le corps robuste et actif. Elle débarrasse du sommeil inutile, prévient l'engourdissement.» Ainsi Thomas Garraway, au milieu du XVIIᵉ siècle, vantait les vertus du thé, potion magique qu'il était le premier à importer de Chine et à diffuser en Angleterre. Dans *Astérix chez les Bretons*, le Gaulois fait connaître aux Bretons cette potion venue des pays barbares, dont il a trouvé l'ingrédient chez le druide Panoramix (ci-dessus). 21 juin 1937 : un vendeur de thé ambulant débarrasse du «sommeil inutile» les amateurs de tennis venus dès l'aube faire la queue devant les guichets de Wimbledon (ci-contre).

pendant la Seconde Guerre mondiale : les officiers buvaient leur thé dans d'élégantes tasses en porcelaine au mess des officiers, tandis que le reste de l'armée recevait une chope contenant un demi-litre de thé infusé grossièrement dans un seau et peut-être parfumé de cendres de cigarettes.

Les aventures d'Astérix chez les Bretons fous de thé étaient une sorte de prophétie rétrospective : la Grande-Bretagne n'aurait pu combattre dans aucune des deux grandes guerres de notre siècle sans thé.

C'est entre le thé et le café que la divergence est vraiment cruciale. Thé contre café ? Au XVIIIe siècle, Londres avait ses cafés, où l'on servait aussi du chocolat chaud. Il n'y avait pas de salons de thé : ceux-ci étaient une afféterie orientale. Le thé était destiné à la consommation domestique. Le café est toujours difficile à préparer, et rares sont les maisons britanniques qui en font du bon. On y sert du café en poudre, non sans une certaine tristesse : personne ne l'apprécie vraiment, mais la confection de vrai café outrepasse les capacités de la technologie domestique britannique. La préparation du café est affaire de professionnels et ce sont des professionnels qui le préparaient dans les cafés du XVIIIe siècle. Certains d'entre eux n'étaient pas réputés uniquement pour leur breuvage : c'étaient des lieux de discussion politique et littéraire, comme le café de Wills. Le café de Lloyd's, qui fournissait entre autres prestations les dernières nouvelles maritimes, devint le plus grand centre d'assurances du monde. Le thé, par contre, n'a jamais été associé à la vie publique. Il est trop domestique. D'aucuns, tel le James Bond d'Ian Fleming, y voient une boisson féminine ; le café, avec le cognac qui l'accompagne souvent, étant réservé aux hommes. La classe ouvrière n'est évidemment pas d'accord.

La révolte des colonies américaines contre le règne britannique est censée illustrer l'inimitié qui existerait entre thé et café. Les Américains de Nouvelle-Angleterre buvaient en effet du thé comme leurs cousins de métropole, mais ils refusaient les lourdes taxes qui lui étaient imposées par le gouvernement de Londres. D'où la *Boston Tea Party*, qui vit des patriotes américains, déguisés en Indiens Mohawk, jeter des tonnes de feuilles de thé importé dans le port de Boston. Cette révolte conduisit à la guerre d'Indépendance et fit des Américains des buveurs de café traditionnels, à l'imitation des Français. Les Américains, tout comme les Français, ne savent pas faire le thé. L'un des personnages de Graham Greene sait qu'il est à Paris lorsqu'il voit un homme sur une terrasse de café tremper un sachet de thé dans une eau tiède, le tenant par la ficelle comme il tiendrait une souris par la queue. Les Américains ont oublié l'art qu'ils ont emporté de Grande-Bretagne : eux aussi sont de grands trempeurs de sachet de thé.

Dans les hôtels américains, du Vermont jusqu'en Floride, j'ai supplié les serveurs et les serveuses de me donner du thé fort. Je me retrouve toujours avec de l'eau à peine chaude et un sachet d'Earl Grey. Dans un Holiday

Des *coffee houses* (dont la première à servir plutôt du thé fut ouverte par Twining en 1706) aux *tea houses* en passant par les *tea gardens*, les établissements servant du thé en Angleterre, de moins en moins nombreux aujourd'hui, ont longtemps été les lieux par excellence de la convivialité populaire. Ils étaient en cela les équivalents des «bistrots» français, où l'on consomme plus volontiers du café ou du vin, et le contraire des aristocratiques salons de thé parisiens. Deux simples soldats en permission prenant leur *afternoon tea* au Lyons Corner House de Coventry Street, en 1926 (ci-contre).

Inn, j'ai donné des instructions détaillées. Prenez l'une de ces cafetières. Mettez-y six sachets de thé d'Inde ou de Ceylan, Lipton ou Twining. Versez de l'eau bouillante. Apportez-moi le tout. C'est ce qu'on fit, d'une certaine manière, à Minneapolis. Le seul problème était que les six sachets avaient infusé dans du café chaud. Une cafetière est destinée à contenir du café ; il fallait donc que le café y fût. J'essaie maintenant de voyager à travers les États-Unis avec ma propre chope d'un demi-litre et une bouilloire électrique. Cela passe pour très britannique.

Avant d'aller plus loin, il conviendrait que je donne ici le mode précis de préparation du thé. Tout d'abord, il faut une théière volumineuse. Puis il faut une bouilloire. Faites bouillir votre eau et en même temps faites chauffer votre théière. Il n'est pas sage de la réchauffer en y faisant tournoyer de l'eau chaude : il serait difficile de l'en éliminer ensuite entièrement et l'intérieur de la théière serait donc mouillé. Or il doit être parfaitement sec. Mettez la théière dans deux ou trois centimètres d'eau très chaude ; lorsque le fond externe est suffisamment chaud pour incommoder la main, le fond interne est assez chaud pour le thé. Mettez dans la théière chauffée, suivant la tradition, une cuillerée à thé par personne et une cuillerée supplémentaire en

guise d'offrande pour la théière. Vous pouvez bien entendu augmenter ces doses selon votre goût, ou plus exactement selon votre accoutumance. Je remplace la cuillère à thé par une cuillère à dessert. Versez l'eau bouillante. Tournez délicatement. Couvrez la théière et laissez reposer pendant cinq minutes. Puis versez dans une tasse ou un *mug*.

Si vous mettez du lait dans votre thé – pas plus qu'une infime quantité pour adoucir l'impact du tanin –, il vous faut décider à quelle faction appartenir. À celle qui met le lait dans la tasse avant de verser le thé, ou à l'école qui verse quelques gouttes de lait dans le thé noir et fumant. Je ne pense pas que cela fasse une grande différence : il s'agit de l'une de ces controverses britanniques qui préservent du *tedium vitae*. Vous pouvez alors ajouter du sucre, mais non sans faire sourciller nombre de buveurs de thé experts. Le regretté George Orwell en était. Il publia un essai, moins connu que son *1984* (où l'une des horreurs est, semble-t-il, une absence totale de thé, mais non de gin), dont le titre est *Une bonne tasse de thé*. Il y dit que l'adjonction de sucre tue le goût du thé. Il dit également que plus on vieillit, plus l'on aime son thé fort. L'une des rares qualités qu'il trouva au ministre de l'Alimentation britannique en temps de guerre était d'avoir consen-

Le *tea time*, souvent subtil et raffiné, est en Grande-Bretagne comme partout au monde un art de vivre. Il implique de savoir prendre son temps, de ménager son confort, de s'extraire du quotidien et de savourer l'instant. Aussi représente-t-il un luxe, quelle que soit la circonstance, et est-il, surtout chez les Anglais, propice à l'humour. *Tea Tonic*, sérigraphie à propos de *À la recherche de Sir Malcolm*, bande dessinée de Floc'h et Rivière (ci-dessus). Sur le pont d'un transatlantique dans les années vingt (ci-contre).

ti à accorder une plus forte ration de thé aux citoyens de plus de soixante-cinq ans (ou soixante ans pour les femmes) qu'aux jeunes.

Le thé, si présent qu'il soit sur la scène britannique, est une substance extrêmement exotique. Les sous-marins nazis coulèrent de nombreux navires marchands approvisionnant les côtes britanniques, notamment dans l'Atlantique ; mais de maigres importations de thé arrivaient d'Inde et de Ceylan : les forces navales japonaises s'affairaient dans le Pacifique, mais non dans l'océan Indien, et la marine britannique continua d'assurer le transport du thé sur les lignes maritimes de la mer Rouge et de la Méditerranée. Un roman de Len Deighton intitulé *SS-GB* présente une Angleterre imaginaire sous la botte des Allemands à partir de 1940 (dans une situation analogue à celle de la France). Les Britanniques réduits en esclavage ont du thé, mais sous forme de poudre, parfumé par un ersatz de citron. C'est ainsi que les troupes de Deighton souffrent, mais ne se révoltent pas. Le livre devient ici à peine plausible : sans thé véritable les Britanniques auraient pris le risque de l'insurrection. Je n'exagère pas. Nous sommes incapables de nous en passer.

C'est une drogue, si l'on veut, encore que la goutte de lait l'apparente au sein maternel. Le biographe du docteur Johnson, James Boswell, craignait que la perpétuelle consommation de thé ne lèse les nerfs du grand érudit. Mais, bien que le tanin puisse, chez des sujets fragiles, incommoder légèrement le système digestif, il lui est beaucoup moins nuisible que

le vin français auquel tant d'entre nous renoncent. Car le vin est de plus en plus chargé de tanin. Il subsiste une superstition britannique, selon laquelle le fait de boire du thé fort avec un steak grillé ou avec le rôti de bœuf dominical tanne littéralement la viande et la transforme en cuir. Ce serait un bien petit prix à payer pour les effets vivifiants d'une bonne théière le matin, en milieu de matinée, à l'heure du déjeuner, dans l'après-midi, en soirée, en fin de soirée et à minuit. Je dis théière à dessein et je sous-entends thé en feuilles et non en sachet. Car il est des rumeurs qui disent que le papier du sachet ne serait pas très sain : il se produit une obscure réaction entre les substances chimiques de la feuille et son contenant imprégné de dioxine, qui provoquerait telle ou telle maladie. le sachet, si commode soit-il, n'a du reste jamais été qu'un succédané de la cuillère et de l'aromatique substance véritable.

Si l'on tend de nos jours à préférer les sachets, c'est qu'il est difficile de se défaire des feuilles de thé infusées, détrempées, usagées qui restent au fond de la théière froide. On ne peut les faire disparaître dans l'évier de la cuisine sans risquer de boucher les canalisations. Les verser dans les toilettes et tirer la chasse d'eau c'est donner une saveur excrémentielle à ce qui fut un breuvage civilisé. Les poules les apprécient mélangées à du pain rassis ; mais peu de gens élèvent des poules. On peut les épandre par terre puis les balayer avec la poussière qu'elles attirent. On peut les laisser dans la théière et les ressusciter avec de l'eau bouillante, mais leur vitalité a disparu et c'est

«Pour nos soldats, le thé est plus important que les munitions», déclara Churchill en 1942. Et tous les Anglais s'accordent à penser que leur moral n'aurait pas résisté aux bombardements ni leur armée vaincu l'Afrikakorps s'ils avaient dû se priver de leur boisson favorite. Durant la Seconde Guerre mondiale, le thé fut ainsi pour tous les Britanniques l'arme suprême, le meilleur des réconforts, et plus encore l'ultime plaisir symbolisant leur liberté. Exemples de bons abris familiaux conçus par les services de protection civile et destinés à l'information de la population (ci-contre).

un spectre que l'on boit. Elles sont une nuisance une fois leur utilité passée, tout comme les hommes. Mais préférer les sachets, c'est se satisfaire de l'ombre d'un thé véritable.

La substance demeure si magique qu'il est étrange de la voir si peu glorifiée par les arts. C'est un Français, Maurice Ravel, qui a célébré le *five o'clock* dans une danse aux accents du jazz de *L'Enfant et les Sortilèges*, alors qu'aucun Anglais n'a écrit sur le thé d'œuvre musicale comparable à la *Cantate du café* de Bach. Un membre du Parlement, A.P. Herbert, est l'auteur d'une chanson insipide dont le refrain est «Une bonne tasse de thé» (une tasse de thé est toujours «bonne» en Angleterre, de même qu'un steak est toujours *una bella bistecca* en Italie). Le poète William Cowper a fait l'éloge «des tasses qui réjouissent mais n'enivrent point». G. K. Chesterton dans des vers qui dénoncent les méfaits du cacao, avoue que «le thé, bien qu'oriental, est du moins un gentleman». Mais là s'arrête la littérature du thé. Je doute qu'il y ait de bon livre anglais consacré au thé. Le thé s'est peut-être à ce point infiltré dans les parois stomacales des Britanniques qu'ils sont incapables d'y porter un regard scientifique ou esthétique. C'est une réalité de la vie britannique, comme l'air que l'on respire. Je serais heureux de le voir devenir une réalité de la vie française. Au même titre que la sauce à la menthe pour accompagner le gigot.

Les dignes extravagances de la *nice cup of tea*. «La plus grande théière du monde», d'une contenance de près de sept litres, exposée à l'Empire Exhibition de 1938 (ci-dessus). Juillet 1947 : en ce jour de canicule à Londres, des dactylos de la City se rafraîchissent à la piscine d'Endell Street (ci-contre).

LES JARDINS

· DE ·

THÉ

Alain Stella

Si l'on veut connaître ce que tous les meilleurs jardins de thé du monde ont en commun d'essentiel, de l'Extrême-Orient à l'Afrique de l'Ouest, il convient de s'y promener la nuit. Dès la nuit tombée, tous les jardins frôlés par d'épais nuages et caressés par le vent frais des montagnes se ressemblent sous la même pluie. On y entend les mêmes bruits d'eau, ceux de l'averse sur les feuilles, ceux des torrents et des cascades, on y respire les mêmes senteurs de terre tiède et mouillée. Car pour donner, où que ce soit au monde, les parfums les plus subtils, le thé a d'abord besoin d'un climat humide et tempéré, de journées ensoleillées suivies de nuits pluvieuses et de vents purs d'altitude.

Ce n'est qu'au petit jour, au premier chant des oiseaux, quand les nuages se dispersent au-dessus des crêtes ou se blottissent tout au fond des vallées, quand les premiers rayons du soleil défont des brouillards transformés en rosées scintillantes sur les feuilles, que l'on découvre peu à peu l'infinie variété des paysages du thé. Dès lors aucun jardin ne ressemble à un autre, du Japon au Cameroun. La couleur de la terre, le relief des montagnes, la végétation des alentours, les femmes qui s'avancent à cette heure vers les jardins ne sont jamais les mêmes.

Le jour se lève dans les jardins de thé d'Asie. Une plantation de Ceylan, «l'île du thé» (ci-dessus). Le mont Kangchenjunga (8 598 mètres) qui domine la région de Darjeeling, au nord-est de l'Inde, et dont les légendes disent qu'il est la demeure du dieu Shiva (ci-contre). L'enfance d'un jardin du Nilgiri, au sud-ouest de l'Inde : cette jeune pousse de *Camellia sinensis* (nom de l'unique espèce du théier, comprenant trois variétés principales : Chine, Assam et Indochine) devra grandir à l'ombre de la pépinière durant au moins un an avant d'être transplantée dans le jardin (page 20).

DARJEELING

Au nord-est de l'Inde, à la frontière du Népal, du Sikkim et du Bhoutan, dans les montagnes de Darjeeling qui donnent le plus précieux des thés noirs, le plus réputé des «grands seigneurs», les femmes gravissent dès l'aube les sentiers menant aux soixante et un jardins. Les meilleurs d'entre eux sont situés à plus de mille cinq cents mètres d'altitude. Femmes de l'Himalaya aux pommettes saillantes et aux yeux bridés, vigoureuses comme tous les montagnards, les cueilleuses trottinent en file indienne. Elles sont vêtues pauvrement, mais certaines d'entre elles ont une narine ornée d'une perle d'argent. Loin derrière elles, tout près du ciel encore rouge, les neiges éternellement mystérieuses du Kangchenjunga, à plus de huit mille mètres d'altitude sont, dit-on, la demeure de Shiva, le grand créateur. Elles marchent, non loin de Darjeeling et de ses villas coquettes, de ses hôtels où viennent se reposer les bourgeois de Calcutta fatigués des miasmes de la mousson. Elles croisent des écolières en robe rouge, des paysans qui s'en vont vers les marchés des petits villages puis, après quelques détours sinueux entre des rochers où s'entraînent des écoles d'escalade, elles parviennent enfin au jardin.

Ce peut être Castleton, Jungpana, Tukvar ou Badamtam. À Darjeeling, ce qu'on appelle un «jardin» est en fait une grande plantation s'étendant parfois sur cinq cents hectares. Mais il demeure un «jardin» car le thé qu'il produit, cueilli selon les méthodes traditionnelles, porte son nom. Les soixante et un jardins produisent quinze mille tonnes de thé par an. Les conditions climatiques, l'altitude, le savoir-faire britannique et le mépris du rendement lui donnent son incomparable qualité. Les savants mariages, différents selon l'altitude des jardins, entre les plants d'Assam aux grandes feuilles et ceux de Chine aux feuilles robustes et plus petites, lui donnent sa diversi-

La récolte traditionnelle sur les contreforts himalayens de Darjeeling, où l'un des meilleurs thés du monde, sans doute le plus prestigieux des «grands crus», s'épanouit à deux mille mètres d'altitude. Cueilleuses sous la pluie (ci-dessus). La pluviométrie est l'un des facteurs essentiels de la culture du théier, qui exige des pluies abondantes et régulières. L'un des soixante et un jardins de Darjeeling à l'heure de la cueillette. Le relief très montagneux, qui interdit toute mécanisation et impose de conserver les méthodes de récolte traditionnelles, préserve l'exceptionnelle qualité du thé (ci-contre).

té. Ces deux variétés principales du théier – *Camellia sinensis* selon la nomenclature botanique – sont parfois croisées pour former des hybrides. Un théier de Chine sauvage mesure de deux à trois mètres de hauteur et vit plus de cent ans. Un théier d'Assam peut atteindre jusqu'à vingt mètres de haut non taillé, mais il ne vit pas au-delà d'une cinquantaine d'années.

Dans les plantations du nord de Darjeeling qui se situent parfois au-dessus de deux mille mètres d'altitude, les théiers chinois qui supportent mieux le froid sont les plus fréquents. Au sud, où les plantations se trouvent aux alentours de trois cents mètres d'altitude, les théiers d'Assam résistent mieux aux précipitations abondantes.

La diversité de Darjeeling s'accroît encore par le jeu des vents et des pluies qui varie selon l'orientation des versants cultivés et leur altitude. Une diversité qui se révèle enfin, et surtout, dans les modifications qu'apporte à la plante le cycle des saisons. Si l'amateur ne distingue pas toujours un Makaibari d'un Puttabong, il fera sans hésiter la différence entre un Selimbong de printemps («first flush» : cueillette du 15 avril au 31 mai), un autre d'été («second flush» : du 15 juin au 15 août), et un troisième d'automne (du 1er novembre au 15 décembre).

Le soleil paraît au-dessus des crêtes enneigées. Partout au monde, il faut aux meilleurs thés une moyenne de cinq heures de soleil par jour. Les femmes entrent dans leur jardin. Sur ces contreforts de l'Himalaya, la plantation couvre un versant de montagne comme un immense tapis vert. Elle épouse les formes les plus mouvementées, dévale les vallons jusqu'au lit des torrents, s'élance à l'assaut des cimes. Il n'est pas rare que les arbustes s'étagent sur des pentes à 45° où jamais aucune machine ne pourra s'engager. Les montagnes, qui obligent à une cueillette manuelle, sont une garantie éternelle pour la qualité du thé.

Une fois cueillie, la plante est aussitôt acheminée à la manufacture pour subir sa transformation. Afin d'éviter quelle ne perde de sa fraîcheur entre ces deux opérations, le temps du transport doit être le plus court possible, et la manufacture se trouver donc sur le lieu même de la récolte. Chaque grand jardin de thé possède sa propre manufacture. La manufacture d'un des plus célèbres jardins de Darjeeling, Maikabari (ci-dessus). À Darjeeling, le travail préalable à la fabrication du thé : le triage manuel des feuilles fraîchement cueillies selon la qualité désirée (ci-contre).

ASSAM

À quelques détails près, importants, qui tiennent surtout au climat et au relief, la journée de cueillette des femmes de Darjeeling se déroule comme celle des femmes de la haute vallée de l'Assam, à deux cents kilomètres plus à l'est, aux confins de la Chine, de la Birmanie et du Bangladesh. À cette longitude, les rives du Brahmapoutre – où l'on découvrit des théiers sauvages hauts de vingt mètres en 1823 – sont l'une des régions les plus humides et les moins hospitalières du monde. La vallée, encaissée entre l'Himalaya et les monts Naga et Patkoi, était encore recouverte d'une jungle épaisse lorsque des colons anglais décidèrent de la défricher au XIXᵉ siècle. Elle est encore aujourd'hui l'une des régions les moins peuplées de l'Inde, habitée dans les montagnes par des tribus aux modes de vie inchangés depuis des millénaires.

D'avril à septembre, la mousson déverse sur la haute vallée de l'Assam un déluge qui va grossir le fleuve et inonder plus au sud le delta du Gange, au Bangladesh, innondations qui, tous les ans, prennent un très lourd tribut de vies humaines. La température s'élève alors jusqu'à 35°C. C'est dans cette gigantesque serre naturelle que s'épanouit près d'un tiers des thés indiens, environ deux cent mille tonnes par an, et quelques-uns des meilleurs crus du monde.

Les femmes cueilleuses de l'Assam ne ressemblent pas aux montagnardes de Darjeeling, mais plutôt à toutes les Indiennes du sous-continent aux grands yeux noirs, aux traits délicats. Si les images diffusées par le *Tea Board of India* les représentent souriantes, portant gracieusement leur sari de couleur, les bras ornés de plusieurs bracelets d'argent, la réalité du climat et de la végétation les astreint en fait à des conditions de travail particulièrement pénibles.

Cueillant huit heures par jour dans une atmosphère de serre surchauffée, elles doivent souvent se recouvrir de sacs en plastique pour se prémunir contre les piqûres d'insectes et les morsures de serpents. Après avoir reçu d'un surveillant les consignes du jour concernant les parcelles à parcourir, les points de regroupement et de pesage, elles installent dans leur dos un grand panier d'osier retenu par une sangle calée sur le front, puis s'avancent en rang d'oignon dans l'un des deux mille jardins de l'Assam.

Ce peut être Rungagora, Betjan, Silonibari ou Keelung. Il se perd à l'horizon d'une vaste étendue plane sur plus de cinq cents hectares, sous de grands arbres d'ombrage qui lui donnent l'allure d'une forêt spacieuse, aérée, domestique. Plusieurs centaines de femmes l'envahissent chaque jour, presque mille au plus fort de la production, entre juillet et septembre.

En Asie, il est extrêmement rare de voir un homme cueillir le thé. On a coutume de dire que seules la finesse, l'agilité mais aussi la patience des mains féminines sont susceptibles d'un bon rendement sans compromettre la qualité de la cueillette. Sans doute. Mais des

La haute vallée de l'Assam, au nord-est de l'Inde, est la plus grande région productrice de thé au monde. Ses deux mille jardins fournissent plus de la moitié des sept cent mille tonnes annuelles de thé indien. La jungle des rives du Brahmapoutre, où poussaient des théiers sauvages sous des pluies de mousson diluviennes, n'a pourtant été défrichée qu'au début du XXᵉ siècle. La plantation de Mituoni, avec ses grands arbres d'ombrage qui dessinent un paysage de forêt, caractéristique des immenses jardins de thé de l'Assam. Ils atteignent parfois mille hectares (ci-contre).

raisons sociologiques, économiques, et proba- blement même à l'origine symboliques, éclai- rent aussi ce phénomène qui contribue, pour certains, au charme mystérieux du thé. Quoi qu'il en soit, la cueillette des grands jardins répond à des critères précis qui ne souffrent aucune maladresse. Les femmes avancent au milieu des théiers, petits arbustes espacés d'environ quatre-vingts centimètres et ne dépassant pas, grâce à des tailles régulières, une hauteur de un mètre cinquante. Des deux mains, avec une rapidité et une précision pro- digieuses, elles ne cueillent que les plus jeunes feuilles, les plus hautes qui forment la «table de cueillette», en sectionnant la tige d'un geste sec entre l'index et le majeur.

La cueillette «fine» des meilleurs thés s'en tient exclusivement au bourgeon terminal de la tige – recouvert d'un fin duvet blanc – et aux deux premières feuilles qui le suivent. Les thés plus courants se contentent d'une cueillette «grossière» : le bourgeon et trois, quatre, voire cinq feuilles. Mais dans tous les jardins, les cueilleuses, d'un geste immémo- rial, jettent par-dessus leur épaule des poi- gnées de feuilles dans leur hotte. Un geste qui est un exploit si l'on songe qu'en Assam, par exemple, chacune d'elles récolte ainsi environ cinquante mille pousses par jour. Une fois la hotte pleine, elles se rendent en cortège vers un point de regroupement où les feuilles sont rapidement inspectées, puis pesées. Les cueilleuses sont payées selon le poids et la qualité de leur récolte, quelques roupies (envi- ron cinq francs) par jour. Chaque tasse de thé contient sa dose de peine.

La récolte, opération essentielle qui déterminera la qualité de l'infusion, demande beau- coup de soin et de dextérité. Si l'on désire obtenir le plus haut grade, la meilleure quali- té, alors la cueillette dans les meilleurs jardins sera «fine» (ne sont prélevés que le bour- geon terminal et les deux premières feuilles). Cueilleuse dans les Blue Mountains, une plantation du sud de l'Inde (ci-dessus). Une paysanne du Bangladesh devant sa «table de cueillette» (ci-contre en haut). Le bourgeon et les deux feuilles prélevés pour une «cueillette fine» (ci-contre en bas).

CEYLAN

Des vents plus doux, un air plus léger et transparent, des vallonnements harmonieux donnent aux jardins de Ceylan un aspect plus souriant, et les couleurs vives des saris semées dans la verdure un plus juste sentiment de beauté. On découvre ici une échelle plus humaine, avec des plantations qui parfois même ne dépassent pas vingt hectares. La plupart d'entres elles sont situées au sud-ouest de l'île. Les meilleurs jardins se rencontrent comme toujours en altitude, de mille à deux mille cinq cents mètres, sur les versants est et ouest des hauts plateaux. Selon leur orientation, ils subissent l'influence de l'une ou l'autre des deux moussons : sur les versants est, la meilleure récolte est obtenue de la fin juin à la fin août, et sur les versants ouest du 1er février au 15 mars.

Ce peut être Dimbula, Uva Highlands, Devonia ou Pettiagalla. Il est midi. Les cueilleuses tamoules en sari – ou plutôt ici en *longhi* – portent un long tissu blanc sur la tête qui protège leurs épaules du soleil et, malgré leur pauvreté, des bracelets et des anneaux d'argent aux chevilles, des colliers d'or. La grâce et la fragilité de leurs silhouettes légèrement inclinées s'accordent aux frêles théiers qu'on a laissé

«De même que les Romains laissèrent derrière eux dans les pays conquis des vignobles, les Anglais implantèrent le thé en Inde, à Ceylan et en Afrique.» Hugh Johnson. Un jardin à Ceylan avec ses plants étagés en terrasses et sa manufacture (ci-dessus). La danse des saris sous les arbres d'ombrage dans un jardin de thé en Inde (ci-contre).

pousser librement comme des arbres, tous les dix mètres, pour donner un peu d'ombre et délimiter des parcelles. De loin en loin, des hommes tout en blanc – turban, veste et longue robe jusqu'aux chevilles – surveillent la récolte. Et quand les hottes sont pleines, ils suivent les cueilleuses jusqu'à la porte de la manufacture, où le thé est pesé. Cette manufacture de thé à Ceylan, longue bâtisse blanche posée au fond d'une petite vallée, fait penser à un sanatorium de montagne, en plein été, mais construit par erreur dans une région tropicale. Si l'âme du jardin se trouve dans les mains des cueilleuses, la manufacture est à la fois son cœur et son cerveau.

Les thés noirs de Ceylan, d'Inde ou de Chine, ceux que l'on préfère en Europe, sont le résultat d'une longue transformation de la plante fraîchement cueillie : il s'agit d'un thé fermenté. Or la fermentation du thé demande autant de soins, d'opérations méticuleuses et scientifiquement mesurées que la fermentation du raisin. Et cet art industriel, qui donne aux exotiques et apparemment immuables jardins de thé leur côté technologique, mérite d'être conté aussi bien que la danse des saris. Mais si l'on peut rester longtemps immobile sous un arbre d'ombrage à observer la récolte, légèrement étourdi par la musique du vent dans les feuillages, ou charmé par les voix et

Partout en Asie, la cueillette est un travail réservé aux femmes. On dit que seules les femmes ont la patience et la dextérité nécessaires à cette tâche délicate. L'arrivée des cueilleuses dans un jardin de la région de Nuwara Eliya, la plus élevée de Ceylan (ci-dessus). Utilisés parfois dans les jardins de thé, les longs bâtons en bambou sont posés horizontalement sur la table de cueillette, délimitant un niveau au-dessous duquel les feuilles ne seront pas prélevées. Triage des feuilles avant leur mise en sac et leur pesage, à Ceylan (ci-contre).

les chants murmurés des cueilleuses, on sait, aussitôt passée la porte de l'usine, qu'on ne pourra tenir longtemps, et encore moins rêver, dans le vacarme assourdissant des machines.

Ici, ce sont surtout les hommes qui travaillent. Ouvriers et techniciens en short très britannique, pieds nus, s'agitent au milieu d'un encombrement indescriptible de machines, dans la pénombre, la chaleur et le bruit incessant. La fabrication du thé noir comprend, partout dans le monde, cinq opérations successives.

Le flétrissage consiste à ramollir les feuilles, en leur faisant perdre la moitié de leur eau, pour pouvoir ensuite les rouler sans les briser. On les répand en couche mince sur de larges claies entreposées les unes sur les autres et espacées d'une vingtaine de centimètres, entre lesquelles on fait circuler un courant d'air chaud pendant vingt-quatre heures. Les usines les plus modernes pratiquent aujourd'hui le flétrissage en tunnel ou en cuve, qui permet de mener l'opération en six heures seulement.

Une fois flétries, les feuilles sont roulées sur elles-mêmes. Le roulage, qui brise les cellules des feuilles et libère leurs huiles essentielles, se pratiquait autrefois entre les paumes des mains. Celles-ci ont été remplacées depuis longtemps par de lourds disques en métal tournant en sens contraire dans d'imposantes machines, les rouleuses.

Les feuilles roulées sont ensuite placées sur de longs tamis pour les séparer selon leur taille et leur état : entières ou brisées. C'est le criblage, ou tri, qui dans certains jardins se pratique encore entièrement à la main. Il permet de classer les feuilles selon les «grades» du thé noir : dans les meilleurs jardins, les feuilles entières donneront, selon leur taille et le sens du roulage, de l'Orange Pekoe (O.P., feuilles roulées dans le sens de la longueur et mesurant de huit à quinze millimètres), du Flowery Orange Pekoe (F.O.P., feuilles roulées

De la multiplication des plants, minutieusement contrôlée dans la pépinière, à l'emballage des feuilles prêtes à consommer, toutes les étapes de la production du thé se déroulent dans les limites du jardin. La pépinière du jardin de Sangsua, en Assam (double page précédente). La multiplication des plants par bouturage se substitue de plus en plus souvent à la simple germination des graines. Dans un jardin du Nilgiri, au Sud-Ouest de l'Inde, l'aération des feuilles durant la première étape de fabrication, le flétrissage, qui consiste à les ramollir afin de pouvoir par la suite les rouler sans les briser (ci-dessus). L'arrivée du thé fraîchement cueilli à la manufacture de Glenloch Tea Estate, au centre de Ceylan (ci-contre).

de la même manière mais plus petites, de cinq à huit millimètres), du Golden Flowery Orange Pekoe (G.F.O.P., un F.O.P. dont certaines feuilles ont une pointe dorée), ou du Tippy Golden Flowery Orange Pekoe (T.G.F.O.P., dont toutes les pointes sont dorées); les feuilles brisées, volontairement ou non, donneront, toujours pour les grands crus, du Broken Orange Pekoe (B.O.P.), du Golden Broken Orange Pekoe (G.B.O.P.) ou du Tippy Golden Broken Orange Pekoe (T.G.B.O.P.); enfin, les feuilles dites «broyées», qui sont en réalité des brisures de très petite taille, donneront les Dust (moins d'un millimètre) et les Fannings (environ un millimètre et demi).

Vient alors l'opération essentielle, qui donne au thé noir sa couleur et surtout la subtilité de son arôme : la fermentation. Tous les experts s'accordent à dire qu'elle relève du plus grand mystère. Nul ne sait en effet précisément de quelle alchimie tient la saveur du nectar, certaines réactions cellulaires au cours de la fermentation n'ayant jamais été comprises ni mêmes identifiées. Il reste quelques données certaines : la fermentation des feuilles s'obtient en les exposant à une atmosphère saturée d'humidité (90% au minimum), après les avoir étalées sur de grandes plaques de ciment, de verre ou d'aluminium. La température de l'air doit être soigneusement surveillée et maintenue (entre 22°C et 28°C), car un écart minime vers le chaud risquerait de donner au thé un goût de brûlé, et vers le froid de stopper la fermentation. Maintenue dans une température et une humidité constantes, la feuille s'échauffe d'abord par le jeu de plusieurs réactions chimiques, puis commence à refroidir. Le talent du *tea-maker* intervient surtout dans le choix de la durée : pour obtenir le meilleur résultat, il convient d'arrêter l'opération juste au moment où la feuille cesse de chauffer, ce qui peut demander de une à trois heures.

Les feuilles sont alors séchées dans une énorme machine conjuguant le séchoir et le tapis roulant, le dessiccateur, où elles sont exposées à des températures d'au moins 80°C pendant une vingtaine de minutes. La dessiccation, dernier stade de la fabrication, exige aussi un savoir-faire particulier : trop faible, elle compromettrait l'avenir d'un thé susceptible de moisir; trop forte, elle le priverait d'une bonne partie de son arôme. Ainsi naît le thé noir des grands jardins d'Asie. Et l'après-midi commence pour les cueilleuses tamoules un travail exactement semblable à celui du matin. À quelques milliers de kilomètres de là, en Afrique, sur les pentes couvertes de jungle du mont Cameroun et les hauts plateaux du Kenya où l'on fabrique de la même façon quelques grands crus de thé noir, le jour se lève dans les jardins. Ce sont des hommes qui s'apprêtent à cueillir le thé poussant sur une terre rouge entre de grands eucalyptus. Des planteurs britanniques ayant quitté l'Inde après l'indépendance ont trouvé là, en altitude, un climat propice. On dit que le B.O.P.F., Broken Orange Pekoe Fannings, du mont Cameroun, au goût chocolaté, a véritablement conquis la cour royale d'Angleterre.

La fabrication du thé noir se déroule en cinq opérations successives. Après le flétrissage vient le roulage, qui a pour but de rouler les feuilles sur elles-mêmes et de libérer leurs huiles essentielles. Puis le criblage, durant lequel sont séparées d'une part les feuilles entières et les brisures, d'autre part les grandes feuilles des petites. L'opération suivante, la fermentation, est celle qui va transformer la feuille en thé noir. Les feuilles sont disposées en couches minces et exposées à un fort taux d'humidité durant quelques heures, à température constante. La fabrication s'achève avec la dessiccation, qui stoppe la fermentation et sèche la feuille. La fermentation du thé à Glenloch Tea Estate, dans les montagnes de Ceylan (ci-contre).

La mécanisation de trois étapes de la fabrication du thé – roulage, criblage et dessiccation – apparut dans les plantations dès 1880. Après la cueillette, les feuilles sont mises à sécher, puis les machines prennent le relai pour le roulage et la dessiccation (ci-dessus). Ci-contre, la salle d'une manufacture proche de la ville d'Ootacamund, au sud de l'Inde.

CHINE

Si les Anglais ont imposé à l'Europe leur goût pour le thé noir qu'ils boivent sucré avec un nuage de lait, le thé vert, celui des origines, qu'on boit en Chine depuis cinq mille ans, demeure la boisson préférée d'une grande majorité d'Asiatiques et de Maghrébins. Les meilleurs jardins de thé vert se trouvent en Chine continentale, à Formose et au Japon. En Chine, la fabrication de ce thé n'a pas changé depuis des temps immémoriaux. Dans les manufactures artisanales des coopératives, le thé est d'abord torréfié dans de grandes bassines, pendant moins d'une minute, pour détruire les enzymes de la feuille qui risqueraient d'altérer plus tard sa qualité. Puis il est malaxé à la main, disposé en petits tas, séché durant une dizaine d'heures tout en étant régulièrement brassé. Il est ensuite roulé selon les grades que l'on désire obtenir et, enfin, trié. Au Japon et à Formose, ces opérations sont aujourd'hui mécanisées. Le tri sépare le thé selon ses grades : les feuilles du Gunpowder, base des meilleurs thés à la menthe d'Afrique du Nord et du Proche-Orient, sont roulées en boules minuscules (de un à trois millimètres); le Chun-Mee présente des feuilles roulées sur elles-mêmes et mesurant environ un centimètre; le Sencha (qu'on appelle en France «Natural Leaf») n'est fait que de feuilles entières non roulées; le Matcha, enfin, est le thé pulvérisé qu'on utilise au Japon pour la cérémonie du thé.

Nul visiteur n'entre jamais dans les meilleurs jardins de Chine, qui sont nimbés d'un inquiétant mystère. La plupart des Chinois eux-mêmes ne savent pas qu'ils existent et ne connaissent que les coopératives d'État produisant des «standards» de thé vert ou noir numérotés, subtilement dosés pour présenter systématiquement, quelles que soient les conditions climatiques, une qualité égale. Certains standards sont néanmoins de «grands seigneurs», principalement destinés à l'exportation, tel le Yunnan Impérial des hauts plateaux du Sud, ou le doux Keemun Impérial des montagnes de la province d'An-hui. À l'écart de ces coopératives, les jardins secrets de Chine sont appelés, par ceux qui les connaissent, les «jardins sacrés». Leur nombre – trois ou quatre ? – n'est pas connu. Ils sont, dit-on, protégés jour et nuit par des chiens policiers. Pourquoi ce mystère ? Sans aucun doute parce que les thés verts qu'ils produisent, d'une quantité infime et d'une qualité exceptionnelle, sont exclusivement réservés aux hauts dignitaires du régime et non commercialisés.

À mi-chemin entre les coopératives et les jardins sacrés, il existe aussi en Chine des jardins dont le thé peut être acheté, mais à la condition de savoir établir des relations privilégiées avec certaines autorités. Ils produisent parmi les meilleurs, les plus rares et bien entendu les plus chers thés verts du monde, dans les provinces montagneuses de Kiang-su ou de Szechwan. Ils s'appellent Pi Lo Chun, «spirale de jade du printemps», ou Lung Ching, «puits du dragon». Mais ces derniers

Le thé naquit en Chine il y a cinq mille ans, selon la légende, dans le bol de l'empereur Chen Nung qui s'était assis sous un théier sauvage. Les théiers de Chine, de la variété la plus résistante, ont fait de ce pays le berceau du thé. Durant ces dernières années, les Chinois ont découvert de nombreux théiers sauvages géants dans des régions inexplorées du sud du pays. L'un d'eux, d'un diamètre supérieur à un mètre et d'une hauteur de trente-deux mètres, vit dans une forêt vierge du Yunnan depuis mille sept cents ans.

Dans la Chine d'aujourd'hui, les véritables «jardins» sont rares et secrets. L'essentiel des thés verts ou noirs est produit dans de vastes coopératives d'État et commercialisé sous forme de standards numérotés, de qualité invariable et garantie. Néanmoins certains thés, de qualité exceptionnelle, sont commercialisés sous un nom. Ouvriers au travail dans une coopérative proche de Hangzhou (Zhejiang), qui produit le célèbre Lung Ching, «puits du dragon», l'un des meilleurs thés verts du monde (ci-dessus).

paraissent encore un peu communs comparés à un thé qui vaut presque le prix de l'or, et qui n'est pas un thé vert mais un thé blanc (non torréfié, seulement séché), véritable miracle de la province de Fujian : le Yin Zhen, «aiguilles d'argent». Son jardin est l'une des très rares plantations du monde, presque toutes situées sur des hauts plateaux chinois, où se pratique encore la méthode de récolte jadis réservée à l'empereur et à quelques membres de la cour : la «cueillette impériale». Celle-ci ne prélève sur l'arbuste que le bourgeon et la première feuille, et parfois même, comme pour le Yin Zhen, que le bourgeon. Autrefois, rien ne devait altérer la pureté de la plante, entre sa récolte et son infusion dans le bol de l'empereur. Des jeunes filles vierges, gantées et munies de ciseaux en or, coupaient délicatement la tige, la déposaient sur une corbeille, en or elle aussi, où les feuilles séchaient avant d'être versées dans le bol impérial. Nul ne sait quelles précautions sont prises aujourd'hui pour préserver l'incroyable subtilité de l'arôme des «aiguilles d'argent», qui rappelle aux très rares palais avertis le parfum de l'orchidée, si ce n'est que le thé est récolté une fois par an, durant deux jours choisis selon de méticuleuses observations botaniques, et que l'on préfère annuler la récolte annuelle si, durant ces deux jours, surviennent un vent ou une pluie imprévus...

FORMOSE

La Chine ne laisse pas voir ses jardins secrets, ni même ses grandes plantations que l'on n'aime pas montrer aux étrangers. Ne sont-elles pas d'ailleurs souvent recouvertes de brouillards, ou dissimulées, dans la province du Fujian, derrière les écrans de cette fumée d'épicéa qui donne son arôme au Lapsang Souchong avant de s'échapper par les chemi-

En Chine populaire, où les brumes et les brouillards pallient souvent l'insuffisance des pluies et protègent les secrets des jardins, le thé est produit selon des pratiques immémoriales. Ici, cueilleuses et ouvriers des manufactures effectuent leurs tâches comme le faisaient leurs ancêtres : à la main. Une plantation de l'île de Hainan, à l'extrême sud-est du pays (ci-dessus). Une cueilleuse du Szechwan, l'une des six principales provinces chinoises productrices de thé (ci-contre).

nées des manufactures ? Une fumée qui ne se disperse qu'à cent kilomètres plus à l'est, dans le ciel du détroit de Formose, au large de Taiwan. Dans l'île renaissent aujourd'hui aux yeux de tous, et pour le plus grand plaisir des amateurs les plus exigeants de Hong-kong ou de Singapour, les grands thés chinois d'autrefois. Les riches commerçants, les banquiers, les armateurs des ports chinois du Pacifique achètent à Formose des thés verts hors de prix, récoltés et fabriqués exactement comme on le faisait dans la Chine impériale, de façon artisanale dans des petits jardins familiaux. Une centaine de familles produisent aussi la grande spécialité de l'île, l'Oolong, un thé dit «semi-fermenté» (il ne subit qu'un début de fermentation), dont le goût et la couleur sont à mi-chemin entre le thé noir et le thé vert.

Lors de ce tour du monde en un jour dans les meilleurs jardins de thé, c'est au nord de Formose que nous nous trouvons un après-midi, dans une petite chaîne montagneuse où l'on produit le Ti Kuan Yin, «la déesse», un grand thé semi-fermenté qui a la réputation d'éliminer toutes les impuretés de l'organisme. Formose bénéficie d'un climat idéal pour la culture du thé : très humide, avec des températures qui ne dépassent pas 28°C l'été et ne descendent jamais au-dessous de 13°C l'hiver. La cueillette dure huit mois, d'avril à novembre. Sur les murs rustiques du bureau de monsieur Chang, petit producteur indépendant, sont exposées les médailles reçues lors du concours annuel du meilleur Ti Kuan Yin de Formose. Par la fenêtre, on voit les cueilleuses au travail dans la brume. Comme tous les meilleurs crus de Formose, le Ti Kuan Yin de monsieur Chang n'est pas vendu dans les circuits d'exportation habituels, qui passent par des courtiers, des télex et des bourses où l'on vend le thé aux enchères aux importateurs du monde entier. Tout acheteur étranger qui désire ce thé-là doit, au moins la première fois, rendre visite au producteur. S'il a de la chance, si le vent disperse quelques instants les nuages, les jardins élevés du Ti Kuan Yin se transformeront en un belvédère d'où il pourra contempler tout le nord de l'île jusqu'à Taipei et la mer, à vingt kilomètres de là.

JAPON

Un voyage dans les jardins de thé offre ainsi, souvent, l'occasion de découvrir d'impressionnants panoramas, de se laisser fasciner par des étendues infinies, des brumes mystérieuses, des montagnes démesurées. Depuis des millénaires, les paysages du thé, propices à la contemplation et à la méditation, ont rapproché les hommes du ciel, sinon des dieux. Et sans doute n'est-ce pas un hasard si ce fut un moine, un bouddhiste de la secte Tendai nommé Saichô, qui introduisit au Japon les premiers plants de thé en provenance de Chine, au début du IXe siècle de notre ère. Trois ou quatre siècles plus tard, les moines zen ne manquaient pas de boire un grand bol de Matcha, thé vert en poudre très riche en vitamines, avant de soutenir de longues heures de méditation sans faillir. Au

La culture du thé fut introduite au Japon au IXe siècle par un moine bouddhiste. Et le thé y demeure encore aujourd'hui intimement lié à la vie spirituelle. Aussi les magnifiques jardins de thé de l'archipel, à l'image des jardins zen de pierres, semblent sculptés tout exprès pour favoriser la méditation. Ci-contre, la mer immobile d'un jardin de la région de Shizuoka, à l'ouest de Tokyo, où se cultivent la plupart des thés verts japonais.

Japon, le thé est né puis s'est répandu pour accompagner les exercices de l'esprit. Il n'est donc pas étonnant que les jardins de thé de l'archipel soient des œuvres d'art aussi belles que les jardins zen de pierres, même si elles n'en ont pas la dimension symbolique.

Ces jardins japonais ne ressemblent à aucun autre, et c'est à peine si l'on peut croire qu'il y pousse du thé. De loin, on croirait de vastes étendues liquides, d'un vert soutenu, épousant les courbes des collines et sculptées par des ondulations de vagues immobiles. C'est la taille et la plantation très particulières des arbustes qui leur donnent cet aspect : les plants ne sont pas comme ailleurs espacés les uns des autres, mais disposés côte à côte pour former de longues bandes compactes d'une trentaine de mètres, dont la surface unie et très légèrement bombée forme une immense table de cueillette. Toutes ces bandes sont parallèles, de même dimension, à environ un mètre l'une de l'autre et perpendiculaires à la pente. Sauf peut-être à Java ou à Bali, avec leurs rizières en terrasses, le paysan n'a jamais aussi harmonieusement sculpté sa terre. Mais chacun sait qu'au Japon le fonctionnel est forcément beau.

Le Japon ne produit que du thé vert, le O-Cha. Ce peut être dans la région du mont Fuji, dans l'île Kyushu ou dans la plus grande région productrice de l'archipel, Shizuoka, qui produit des variétés infinies du thé le plus répandu, le Sencha. L'hiver, on y voit des ventilateurs à air chaud permettre aux théiers de supporter le gel.

Mais l'après-midi s'achève en beauté dans la campagne d'Uji, près de Kyoto, où des sources jaillissent dans les collines d'émeraude finement taillées. Dans le jardin, des femmes en long tablier rouge glissent lentement entre les vagues immobiles. Elles y cueillent ce que certains considèrent comme le meilleur des thés verts de la planète : le Gyokuro, ou «rosée précieuse». Nulle part ailleurs, sinon peut-être dans les jardins sacrés de Chine, on ne cultive le thé avec tant de soin. Trois semaines avant la cueillette, dès que le premier bourgeon est sorti, toute la plantation est recouverte de nattes en bambou, de roseaux tressés ou de bâches sombres afin de filtrer 90% de la lumière. Les petites feuilles qui se développent ainsi dans l'obscurité ont une teneur plus élevée en chlorophylle – cela leur donne cette couleur vert émeraude – et plus basse en tanin – rendant leur infusion moins amère. Le Gyokuro est le plus doux des thés verts. Comme le thé rare de Chine, il n'est récolté qu'une fois par an, fin avril-début mai, selon la méthode de la cueillette impériale qui ne prélève que le bourgeon et, si sa qualité le permet, la première feuille. Une fois réduit en poudre, le thé précieux de ce jardin donne le plus subtil des Matcha destinés à la cérémonie du thé : le Matcha Uji.

Comme toujours au Japon, les technologies les plus sophistiquées n'empêchent pas la pérennité des traditions. Dans ces jardins parfois chauffés l'hiver à l'aide de radiateurs électriques, des machines à cueillir les feuilles passent entre les théiers sans nuire à la qualité du produit fini. La cueillette mécanique dans un jardin de Shizuoka (ci-dessus). Les traditionnels paniers d'osier emplis de feuilles (ci-contre). Pour devenir du thé vert – c'est-à-dire du thé non fermenté -, le seul fabriqué au Japon, ces feuilles seront d'abord chauffées à la vapeur, puis séchées et roulées. Elles seront réduites en poudre si l'on veut obtenir le Matcha qu'on emploie pour la cérémonie du thé.

THÉS DU MONDE

Inde, Ceylan, Chine, Formose, Japon, Cameroun et Kenya ne sont pas les seuls pays à
grands jardins de thé. Parmi les vingt-trois
autres pays producteurs, certains proposent
de grands crus : l'Indonésie, avec par exemple
son Taloon de Java, qui ne résistera peut-être
pas longtemps au souci de rentabilité qui pré-
vaut dans l'archipel et incite à cultiver un thé
courant destiné au sachet ; le Sikkim, petit
État himalayen sous protectorat indien, avec
son Temi qui n'a rien à envier aux meilleurs
Darjeeling ; le Népal, avec ses plantations du
mont Everest.

Dans les autres pays, où l'on pratique une
culture intensive et entièrement mécanisée, il
n'y a pas de «jardins». En Union soviétique,
quatrième producteur mondial, des machines
enjambent les haies de théiers plantées à perte
de vue dans les plaines de Géorgie, du Caucase ou d'Azerbaïdjan. Le thé ainsi produit
satisfait la consommation courante, mais pas
les palais avertis de certains privilégiés de la
nomenklatura, qui font acheter à prix d'or les
meilleurs Darjeeling à la bourse de Colombo.
(Une bourse à enchères inversées, où la première offre, après l'annonce d'un prix maximum, l'emporte. Dans les deux autres grandes
bourses de thé internationales, Londres et

Calcutta, des dizaines de courtiers se disputent les meilleurs thés vendus aux enchères traditionnelles.) Au Proche-Orient la Turquie et l'Iran, en Amérique du Sud le Brésil et l'Argentine, en Afrique la Tanzanie, le Malawi et l'Ouganda produisent des thés de qualité moyenne, de plus en plus souvent destinés à la fabrication des sachets.

Revenons à Darjeeling, juste avant le soir. Dans la pépinière protégée par un abri de branchages du jardin de Singtom, ou de Selimbong, des techniciens surveillent la pousse des jeunes plants de *Camellia sinensis* obtenus par bouturage. Ils grandiront sous abri pendant deux à trois ans jusqu'à la taille requise, environ un mètre vingt, puis seront transplantés dans le jardin.

À quelques pas de là, dans une salle bien éclairée de la manufacture où les machines viennent de s'arrêter, une centaine de tasses en porcelaine blanche, remplies d'infusion et munies d'un couvercle, ont été alignées sur une grande table. Chacune est placée entre un bol vide et un petit récipient empli de thé sec. Un homme verse le contenu des tasses dans les bols, en maintenant fermé le couvercle dentelé qui retient les feuilles, puis retourne ce couvercle empli de feuilles infusées. Une fois l'opération terminée, le dégustateur attitré du jardin observe les feuilles sèches et les feuilles

La grande bourse internationale de Colombo surprise par une coupure d'électricité…
Rien ne peut ébranler l'ardeur des acheteurs de thé qui continuent à travailler à la lueur
de la bougie.

infusées, la couleur du liquide dans le bol, hume l'infusion, la goûte puis la recrache dans une grande bassine qu'il pousse devant lui au fur et à mesure qu'il avance. Il prend des notes dans un grand cahier. Tous les jours, durant la récolte et avant l'emballage, la production de chaque parcelle du jardin est ainsi goûtée pour vérifier sa qualité.

Avant de parvenir dans les commerces de détail du monde entier, les meilleurs crus de thé seront goûtés de la même manière au moins encore à quatre reprises. La première fois par le courtier (ou son dégustateur), qui enverra des échantillons aux importateurs selon la qualité demandée. Et les trois autres fois par l'expert-importateur, qui attache la plus grande importance à des dégustations qui détermineront ses ventes tout au long de l'année : au moment de recevoir les échantillons, pour les sélectionner, fixer un prix d'achat maximum et passer commande auprès du

courtier : après avoir acheté le thé aux enchères (à Colombo ou à Calcutta), juste avant qu'il ne soit embarqué, pour vérifier qu'il correspond bien à l'échantillon choisi ; et enfin, lorsque le thé est parvenu au port de destination, pour s'assurer que le transport n'a pas altéré sa qualité. Il va de soi que ces nombreuses dégustations n'ont pas cours pour les «standards» de Chine, de qualité constante et garantie, ni pour tous les thés plus courants qui entrent dans la composition des mélanges.

Dans les jardins de Darjeeling, les cueilleuses ont disparu depuis déjà quelques heures. Le thé récolté la veille vient d'être emballé dans des caisses aux angles scellés par des plaques d'aluminium. Le soleil se couche, d'immenses nuages roses et noirs paraissent au-dessus des montagnes. Le vent dans les feuillages est un chant qui ne trouble pas le silence. La terre des jardins de thé, fatiguée par le jour, semble attendre la pluie.

La journée s'achève dans les jardins de thé. Dans la salle de dégustation d'une manu-facture du Nilgiri, région de l'Inde méridionale qui produit un thé très similaire à celui de Ceylan, un *tea maker* prépare les subtils mélanges des feuilles récoltées la veille et qu'on vient d'extraire du dessiccateur (ci-dessus). L'emballage de ce mélange, un Gun-powder vert, base incontournable des meilleurs thés à la menthe appréciés dans les pays du Maghreb (ci-contre).

· LES · AVENTURIERS · DU THÉ

Nadine Beauthéac

« Vers la fin du XVIIᵉ siècle, les Anglais à leur départ de Canton mirent à bord de leur navire des caisses couvertes d'un vitreau de fil d'archal et remplies de bonne terre, dans lesquelles avaient été semées d'excellentes graines de thé ; pendant la traversée, on eut soin de les arroser fréquemment avec de l'eau douce et de ne pas trop les exposer à l'air ni à la rosée d'eau salée que jette la brise en rasant les lames. C'est grâce à ces précautions minutieuses qu'on est parvenu à introduire en Angleterre les premiers pieds de cet arbrisseau. »

Cette expérience botanique, relatée par J.-G. Houssaye dans sa *Monographie du thé*, ne fut qu'un demi-succès. En effet, les jeunes plants, après avoir été mis en terre dans les jardins d'essai, arrivèrent bien à maturité ; mais, sous le ciel d'Angleterre, les arbustes développaient un feuillage dont la qualité ne permettait malheureusement pas d'obtenir du thé. Pourtant, un siècle et demi plus tard, les Anglais allaient concurrencer la Chine en devenant producteurs à leur tour, avant de s'imposer comme les maîtres incontestés du marché international du thé.

Les Européens connaissaient le thé depuis plusieurs décennies. C'est vers 1606 que les Hollandais de la Compagnie des Indes orientales effectuèrent une première importation après avoir obtenu des Chinois un troc avantageux : trois mesures de thé contre une de sauge.

À Amsterdam, Londres et Paris, la consommation de cette boisson exotique est attestée dès 1635 ; mais, fort coûteuse, elle ne touchait que la bonne société européenne. Par ailleurs, le thé, alors essentiellement apprécié, à l'instar d'autres «tisanes», pour des propriétés thérapeutiques, ne faisait pourtant pas l'unanimité. Jusqu'à l'aube du XVIIᵉ siècle, ses bienfaits demeurèrent un grand sujet de controverse au sein de la Sorbonne. Mazarin buvait du thé pour se garantir de la goutte et la femme de Samuel Pepys, comme celui-ci le note dans son journal, y trouvait un remède à ses rhumes et bronchites. «Toutefois, raconte encore Houssaye, la manière de préparer le thé n'était guère connue en Angleterre que dans quelques maisons de la capitale... La veuve de l'infortuné duc de Monmouth ayant envoyé une livre de thé à un de ses parents en Écosse, sans indiquer la méthode de l'apprêter, le cuisinier fit bouillir la plante, jeta la liqueur, et servit les feuilles comme un plat d'épinards ! »

Les Hollandais n'avaient pas tardé à comprendre que le commerce de cette nouvelle marchandise serait aussi lucratif que celui des épices. Aussi, à partir des années 1630, ils prirent l'habitude de charger quelques jarres de thé sur chacun de leurs vaisseaux en provenance de Chine. Dès 1669, l'East India Company, homologue britannique de la Compagnie hollandaise des Indes

À l'issue d'une trop longue traversée, les graines de thé – dérobées dans les zones interdites de l'Empire chinois – parvenaient en mauvais état dans les jardins d'essai occidentaux. C'est le botaniste N. B. Ward qui imagina pour ces semences la protection la plus efficace : grâce à sa caisse, les espèces convoitées par l'Occident, et notamment le théier, naviguèrent désormais sans incident (ci-dessus). Le comptoir hollandais dans l'île japonaise de Deshima et ses magasins de thé. Cette île artificielle du port de Nagasaki fut créée en 1634, afin d'accueillir les Portugais et Hollandais, les étrangers n'ayant pas le droit de pénétrer au Japon. Une maison hollandaise y installa un comptoir commercial en 1641, qui fut dissout en 1858 (page de droite, en haut). *Traitez nouveaux et curieux du café, du thé et du chocolate*, Philippe-Sylvestre Dufour, 1685 (en bas). Petite fille en mandarin chinois, photographie de Lewis Carroll, vers 1880 (page précédente).

Chinois avec son pot de Thé.

Thé de la Chine Sur Sa tige.

Traité Nouveau Et Curieux du Thé. Composé Par Philippe Sylvestre Dufour.

TRAITÉ DU THÉ.

CHAPITRE I.

De la nature du Thé, de son nom, des lieux d'où il vient & de l'ancienneté de son usage.

E Titre que j'ay donné à ce Livre, & le raport qu'il y a entre le Café & le Thé, m'invite après avoir

K 4

orientales, se mit également à pratiquer des importations régulières et commença à se garantir des éventuels concurrents qui auraient voulu se lancer dans ce commerce.

Le 3 août 1700, l'*Amphitrite*, premier navire français à partir pour la Chine, rapporta de Canton de la soie, des laques et des porcelaines mais aussi du thé. En un siècle, le goût du thé avait gagné toute l'Europe qui, éprise de luxe et d'exotisme, l'appréciait désormais pour sa rareté et son étrange saveur plutôt que pour ses vertus médicinales. Cet engouement n'était pas un phénomène isolé. De fait, avec un mélange de snobisme et d'intérêt,

l'Occident adoptait tout ce qui lui arrivait d'au-delà des mers : paravents de laque, émaux cloisonnés, soieries, mousselines, indiennes, porcelaines de Chine… Et tandis que les pagodes devenaient l'ornement indispensable des jardins «à l'anglaise», le chocolat, le thé et le café apparaissaient sur les meilleures tables européennes.

Dès la première vente publique – qui eut lieu en 1657, à Londres, dans un café tenu par Thomas Garraway – les Anglais se prirent de passion pour le thé. Le gouvernement songea immédiatement à tirer profit de cette mode et, en 1660, leva une taxe sur les impor-

Au milieu du XVIIIe siècle, l'East India Company possédait une flotte de plus de cent vaisseaux et ses bureaux – superbes – s'élevaient en plein cœur de la City, à Londres tandis qu'à Canton, ses représentants devaient s'accommoder de mesures vexatoires et d'une situation précaire. La Company rejeta longtemps l'idée d'une ambassade qui, craignait-elle, risquait d'indisposer plus encore les Chinois. Mais en 1792, quand l'expédition Macartney quitta Portsmouth, l'*Indostan*, beau trois-mâts de la Company jaugeant douze cents tonneaux, voguait aux côtés du *Lion*, vaisseau de la Marine royale. Navire de l'East India Company en cours d'armement dans un chantier de la Tamise, vers 1660 (ci-dessus).

tations. Le commerce du thé allait subir cette fiscalité jusque dans les années 1780.

La demande étant importante (le thé remplaçait peu à peu la bière dans les familles pauvres), tous les moyens furent bons pour échapper aux taxes : les domestiques des maisons bourgeoises séchaient les feuilles de thé utilisées afin de les revendre. De petites industries se mirent à prospérer : on mêlait aux feuilles de thé divers ingrédients comme hêtre, aubépine et bois de campêche. Et la contrebande sur le thé arrivant de Chine se développa avec d'autant plus de force qu'elle recevait un appui silencieux des négociants de Londres ; les côtes flamande et française servaient de relais aux fraudeurs, qui déchargeaient ensuite, durant la nuit, en Cornouailles et au pays de Galles. Le Trésor britannique et l'East India Company se rendirent compte de l'importance de leurs pertes : seule une détaxation massive permettrait de concurrencer les marchandises frauduleuses, ce qui fut réalisé en 1784 avec la proclamation du Commutation Act.

De son côté, la Chine ne pouvait plus répondre à la demande occidentale en constante augmentation et elle mettait sur le marché des thés très médiocres. La principale préoccupa-

Les anciens commissaires de la Company à Canton, que Lord Macartney consulta avant son départ, brossèrent un sinistre tableau du ghetto occidental. «Les *factoreries* – pressées les unes contre les autres et devant lesquelles flottent les drapeaux de leur pays – sont des réduits à rats. Les conditions dans lesquelles y vivent les sujets de Sa Gracieuse Majesté ne sont dignes ni de l'époque ni des sujets britanniques. Les Occidentaux y sont privés de tout contact avec les Chinois, auxquels il est interdit sous peine de mort d'enseigner leur langue aux Barbares.» Alain Peyrefitte, *L'Empire immobile*. Les *factoreries* de Canton, peinture de William Daniell, vers 1785 (ci-dessus).

tion de l'East India Company – passée sous l'autorité de l'État lors de la proclamation du Commutation Act – fut alors d'obtenir de meilleures possibilités de commerce avec la Chine, qui détenait le monopole absolu du thé puisqu'elle en était le seul producteur.

Mais la Chine demeurait le pays des mystères : tout accès à l'intérieur du pays restait rigoureusement interdit. Canton, port du thé, centralisait les caisses venues des lointaines régions productrices du Nord, mais aucun Européen n'avait eu l'autorisation de pénétrer dans la ville. Les opérations commerciales étaient sous l'autorité de la Compagnie des marchands de Canton, les hanistes, fonctionnaires qui en s'acquittant de la taxe dite du *hang* achetaient à l'empereur le privilège de monopoliser les affaires.

En 1793, George III, décidé à «cultiver l'amitié de la Chine», délégua vers l'empereur la plus riche ambassade jamais envoyée par une nation occidentale à Pékin et dont le porte-parole était Mac Cartney. Les Anglais espéraient ainsi obtenir de commercer librement avec la Chine. Mais la négociation fut un échec complet : l'Empire du Milieu ne faisait que tolérer la présence des «barbares» occidentaux et restait fidèlement attaché à ses principes d'autarcie. C'était sans compter avec la capacité de ruse de l'Angleterre : elle avait déjà fait une guerre pour lutter contre le monopole hollandais sur les épices. Elle décida alors de briser la mainmise sur le commerce du thé d'une Chine qui ne voulait être payée qu'en argent…

Grâce à leurs colonies des Indes, les Anglais s'employèrent à créer des besoins en Chine : avec le coton du Bengale, puis à partir de 1773 avec l'opium, l'East India Company trouva une contrepartie satisfaisante à ses achats de thé. Le trafic de la drogue était tout à fait illégal et la Company procédait par l'intermédiaire discret de sociétés privées.

Le goût de l'opium toucha très rapidement toutes les couches de la population chinoise ;

mais les lettrés, les hauts fonctionnaires et les fils de familles bourgeoises, notamment, en firent une consommation régulière et importante, malgré les édits impériaux. Les autorités chinoises tentèrent de s'opposer à ce commerce et l'Angleterre dût s'engager dans une guerre de l'opium dont elle allait obtenir finalement de nombreux avantages lors de sa conclusion : l'ouverture de plusieurs ports chinois, l'île de Hong-kong pour disposer d'une base commerciale autonome et la fin du monopole des hanistes. Mais les Britanniques commencèrent à envisager différemment leurs approvisionnements en thé : ils voulaient désormais se passer tout simplement de la Chine.

Le botaniste Sir Joseph Banks – qui avait fait partie de la mission Mac Cartney dans le but de faire parvenir des plants de thé au jardin botanique de Calcutta – déclarait depuis 1788 que le climat des Indes devait être favorable à la culture du thé. Cette idée fut appuyée par David Scott, agent du gouverneur général de l'Assam, désireux de voir se développer la région qu'il supervisait. On songea alors à une possible acclimatation des théiers en Inde anglaise… Mais on ne connaissait encore que peu de choses sur la culture et le traitement du thé dont le secret avait été jalousement gardé par les Chinois.

Lord Bentick, nommé gouverneur de l'Inde en 1828, allait permettre de recueillir ces informations. En 1834, il créa le Comité du thé composé de sept agents de l'East India Company – qui l'année précédente avait perdu son monopole sur le commerce du thé –, de trois marchands de Calcutta et de deux notables indiens. De cette association naquirent les premières plantations de l'Empire britannique qui furent bientôt en mesure de concurrencer la Chine.

Parvenus à Canton, les marins britanniques amassaient les présents qu'ils rapporteraient chez eux. Parmi ces souvenirs, les scènes de genre et les portraits – peints à la manière occidentale par des artistes chinois – étaient les plus prisés. Cette imagerie, apparue au XVIIIᵉ siècle et recensée sous les termes de *China Trade Paintings*, exprime la rencontre de la Chine et de l'Occident : un sens, typiquement chinois, du détail encyclopédique et une interprétation occidentale des ombres et de la perspective. Le poste de douane de Canton, *China Trade Painting*, vers 1800 (ci-dessus). Cartes commerciales de négociants britanniques, XVIIIᵉ siècle (page de gauche). Les officiers de l'East India Company reçus par des officiels chinois, *China Trade Painting*, XVIIIᵉ siècle (pages précédentes).

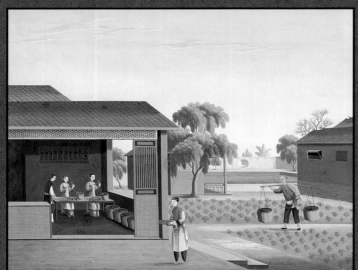

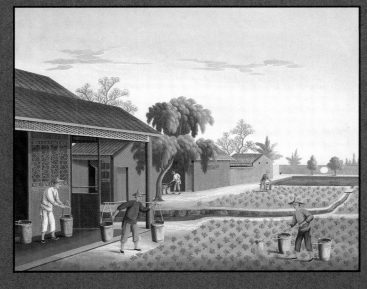

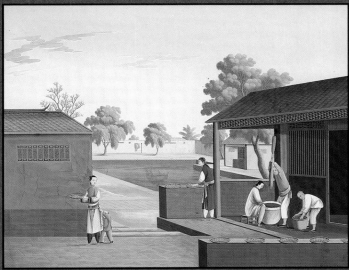

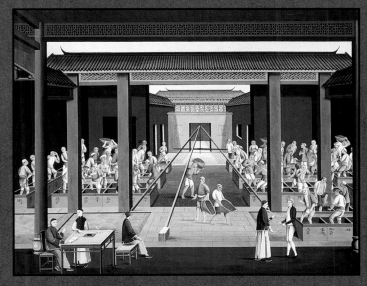

UN ANGLAIS NOMMÉ FORTUNE

Deux siècles après l'introduction du thé en Europe, il était devenu relativement facile aux étrangers de se procurer, lors de leur passage en Chine, des plants de théiers. Le Comité du thé envoya plusieurs botanistes en Chine, chargés de sélectionner de bons plants, d'obtenir des informations culturales et de recruter des Chinois prêts à venir en Inde pour y créer des plantations. Ainsi, en 1834, J.C. Gordon avait réuni plus de quatre-vingt mille graines qui rejoignirent les pépinières de Calcutta. Les Anglais avaient constaté que les diverses variétés de thé provenaient d'une seule et même plante, le *Camellia sinensis* ; les différents résultats dépendaient donc des conditions climatiques et surtout des méthodes de traitement. Mais il restait à découvrir le secret de sa fabrication. C'est un Anglais nommé Fortune qui dévoila enfin aux Européens les mystères du thé chinois.

Robert Fortune, après un premier séjour de trois ans en Chine, y repartit en 1848 pour le compte du Comité du thé, avec pour mission de pénétrer dans les régions productrices des meilleurs thés toujours fermées aux regards occidentaux. Fortune décida tout d'abord de se rendre dans le district qui produisait les plus célèbres thés verts, à deux cents kilomètres au nord de Shangai. Il était accompagné de deux Chinois qui lui suggérèrent le stratagème grâce auquel il mena à bien sa mission : il se déguisa, sur leurs conseils, en marchand chinois. Les trois hommes quittèrent Shangai sur une jonque, de nuit afin de

Aux premiers photographes européens – installés à Hong-kong et produisant, en studio, des images «exotiques» – succédèrent les photographes «reporters». Le reportage de John Thomson, réalisé entre 1868 et 1872, révèle une Chine sans doute assez comparable à celle que découvrit Robert Fortune. Chaise à porteurs et coolies, photographies de John Thomson, 1868 (ci-dessus et ci-contre). Culture et élaboration du thé, *China Trade Paintings* de l'aquarelliste cantonais Tingqua (1840-1870) : préparation des sols : plantation : arrosage : cueillette : tri des feuilles : séchage : fermentation du thé noir : dessiccation : classement des feuilles par grades : conditionnement : transport local : mise en caisse pour l'exportation (pages précédentes).

Tri des feuilles de thé, dans une manufacture de Canton, photographie de John Thomson, 1869 (ci-dessus). Les instants de détente étaient, partout en Chine, associés au thé mais aussi au tabac qui avait été introduit par les premiers navigateurs espagnols et portugais et dont la consommation effrénée favorisa probablement celle de l'opium. Les Chinois partageaient ce goût du thé et du tabac avec les régions vassales de l'Empire comme en témoigne cet Annamite d'Hanoï fumant sa pipe tandis qu'infuse le thé, vers 1870 (ci-contre).

ne pas attirer les curieux. Lors de leurs séjours dans les villes, dans les maisons de thé et les auberges, ils furent de la plus grande prudence.

Voyageant en chaise à porteur, Fortune observait, dans les collines, les fermes de thé qui, le plus souvent, étaient de petites exploitations familiales. Inlassablement, il étudiait les sols, les techniques manuelles de cueillette et de transformation des feuilles. Le soir, il préparait les caisses qu'il devait envoyer aux jardins botaniques de Calcutta et de Kew et notait dans son journal, qu'il désirait publier à son retour, les observations de la journée.

Grâce à lui l'univers mythique du thé devint enfin compréhensible aux Occidentaux. Entre autres énigmes, il élucida celle du «thé bleu», tant apprécié en Europe et en Amérique et qui n'était, en fait, qu'une coloration du thé vert avec de la poudre de gypse. Les Chinois ne consommaient jamais cette préparation qu'ils jugeaient «barbare» et ils la réservaient à la demande étrangère.

Fortune fit une autre découverte. Alors qu'il visitait le célèbre

temple bouddhique de Koo-shan, un vieux prêtre le conduisit près d'une source, dans un paysage d'une grande beauté. Les moines recueillaient l'eau claire et fraîche dans un petit réservoir à côté duquel une bouilloire chauffait en permanence. Fortune fut invité à boire un thé : ce fut le meilleur qu'il eût jamais bu ; il venait de comprendre que la saveur de l'infusion dépendait étroitement de la qualité de l'eau utilisée…

De retour à Shangai, Fortune n'avait encore accompli qu'une partie de sa mission ; il lui restait encore à visiter les terroirs qui produisaient le thé noir. Il reprit la route, revêtu de son déguisement habituel et en compagnie d'un ami chinois qui connaissait fort bien ces régions. Durant la journée, il visitait les manufactures de thé où il se faisait passer pour un mandarin de Mongolie ; et le soir venu, il faisait halte dans les monastères.

Le pays du thé noir lui parut plus étonnant encore que celui du thé vert : le voyage du thé, depuis la plantation jusqu'à Canton, s'effectuait entièrement à dos d'homme. Il fallait un

La décoration des caisses de thé destinées à l'exportation fut, en Chine, une des premières manifestations de ce que l'on appelle aujourd'hui le «design industriel». Dès la fin du XVIIᵉ siècle, ces caisses de bois furent revêtues d'une feuille de papier qu'illustraient des artistes attachés à la manufacture. Les graphismes et motifs utilisés étaient adaptés au goût des Occidentaux que l'on cherchait à séduire par ces «chinoiseries» qui n'avaient qu'une lointaine relation avec la tradition picturale locale. D'abord peints à la main, ces papiers d'emballage furent par la suite imprimés et portèrent la marque de l'exportateur. Conditionnements chinois, XVIIIᵉ siècle (ci-dessus). Manufacture chinoise de conditionnement du thé ; l'intérieur des caisses était tapissé de métal, vers 1880 (ci-contre).

mois pour faire le trajet, abrupt et pénible, par des sentiers de montagne qui, durant la longue saison des pluies, devenaient quasiment impraticables.

Certains coolies ne transportaient qu'une seule caisse qui ne devait jamais toucher le sol ; un système ingénieux – un long triangle de bambou prenant appui sur les épaules – leur permettait pourtant de poser leur chargement contre un mur quand ils voulaient se détendre. Ce mode de transport était réservé aux meilleurs thés, tandis que les productions plus communes étaient acheminées de manière traditionnelle : dans deux caisses respectivement accrochées aux deux extrémités d'un bambou faisant office de balancier. Mais inévitablement, à chaque halte, ces caisses touchaient le sol et les marchands de Canton s'étaient aperçus que le thé s'en trouvait quelque peu altéré.

De retour à Shangaï, Fortune plaça toutes ses récoltes dans des «caisses de Ward» permettant aux graines de germer à bord des navires durant le long voyage de retour. Puis il descendit le Yang-Tsê jusqu'à Hong-kong, d'où il s'embarqua pour Calcutta. Il ramenait avec lui quatre-vingt-cinq spécialistes chinois qui iraient rejoindre les petites plantations en développement dans le nord-ouest des Indes ; tandis qu'à l'est, en Assam, on venait de faire une exceptionnelle découverte.

DANS LA JUNGLE DE L'ASSAM

En 1823, l'East India Company reçut un rapport du major écossais Robert Bruce qui, au cours de ses discussions avec des chefs de tribus locales, avait découvert que le théier poussait à l'état sauvage en Assam. Cette région, située à l'extrémité orientale de l'Inde et frontalière avec la Chine, était en effet assez comparable, de par l'altitude et les conditions climatiques, aux provinces chinoises du Szechwan et du Yunnan d'où provenait le meilleur thé.

En 1834, le Comité du thé, fondé par Lord Bentick, confirma l'existence de théiers sauvages en Assam ; cette découverte permettait d'envisager une mise en culture systématique de l'Inde dont les jardins pourraient un jour concurrencer ceux de la Chine. Les graines de théiers chinois rapportées par Gordon et Fortune furent distribuées, dans diverses provinces indiennes, à ceux qui allaient devenir les premiers planteurs de l'Empire britannique. Parallèlement, le Comité envoya en Assam le frère de Robert Bruce, Charles-Alexandre, afin qu'il tentât l'expérience à son tour mais, cette fois, avec des théiers d'origine indigène. Ancien lieutenant de la Royal Navy, il fut un des premiers Européens à pénétrer dans cette région qui, couverte de forêts et difficile d'accès, est

En Chine, le transport du thé s'effectuait essentiellement par voie d'eau. Mais quand les rivières n'étaient pas navigables ou s'il fallait traverser des régions montagneuses, on avait recours à une solution efficace mais plus onéreuse : le portage. Les prouesses des portefaix ne manquaient pas d'impressionner les Occidentaux : «La force des Chinois est plus considérable qu'on ne devrait l'attendre d'un peuple dont le riz et l'eau forment la seule nourriture.» Hans-Christian Hüttner, *Voyage en Chine, 1792-1794*. Portage du thé en caisse, 1902 (ci-dessus). Portage du thé compressé destiné au Tibet, 1908 : chaque homme parcourait environ dix kilomètres par jour avec, sur le dos, cent cinquante kilos de thé (ci-contre).

aussi l'une des plus humides du monde. Pendant quatre ans et avec l'aide de deux Chinois ramenés de Singapour par Gordon, il repéra les théiers, défricha et brûla la jungle alentour, créant ainsi une plantation. Il apparut très vite que la technique de Bruce donnait d'excellents résultats tandis que les expériences traditionnelles menées à partir des plants originaires de Chine végétaient.

En 1838, le *Calcutta* quitta l'Assam pour Londres avec, dans ses cales, douze caisses de thé : en janvier 1839, la vente aux enchères de ce premier arrivage suscita l'enthousiasme des courtiers de Mincing Lane – bourse du thé et des denrées coloniales – et marqua le tournant tant attendu par les Anglais : le thé de l'Empire britannique n'était plus un rêve mais une réalité. On put alors envisager d'installer des colons en Assam pour développer les planta-

tions. Le gouvernement britannique lança une campagne de recrutement, fit miroiter richesse et fortune faciles et l'on vit affluer de nombreux volontaires qui allaient être sous contrat avec la Compagnie de l'Assam (société commerciale fondée en 1839) jusqu'à ce que celle-ci perde son monopole vers 1850. Ces candidats au métier de planteur ignoraient qu'à leur arrivée à Calcutta, après un voyage de six mois, il leur faudrait embarquer sur un vapeur pour vingt à trente jours de navigation sur le Brahmapoutre, avant de rejoindre Nazira où la Compagnie de l'Assam avait établi un poste, dans une région encore inexplorée. Ils ignoraient aussi qu'ils devraient finir la route à dos d'éléphant à travers la jungle, en emportant des provisions de riz pour plusieurs mois. Voyage exténuant dont on n'était pas sûr de revenir un jour…

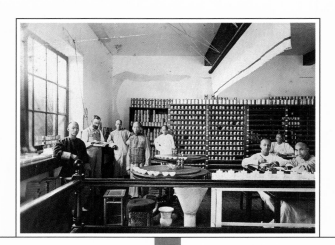

Les *tea tasters* britanniques apprirent tout de leur art en adoptant les techniques ancestrales des dégustateurs chinois. À Shanghai, un négociant européen entouré de ses collaborateurs locaux teste les échantillons de thé. Sur les tables à plateau tournant sont disposées les tasses de dégustation et les sabliers destinés à mesurer les temps d'infusion. Au sol, le crachoir de céramique : dans le cadre des dégustations professionnelles, l'expert n'avale jamais le thé dont il évalue les qualités (ci-dessus).

«Une commission d'enquête de 1868 [...] a reconnu que les vallées du Brahmapoutre et de la Soorma où s'étendent les plantations réunissent toutes les conditions pour créer la plus grande insalubrité. À basse altitude, les sols sont fréquemment inondables ; sous de fortes pluies de mousson et des températures élevées, les nombreux marécages nourrissent les moustiques vecteurs de malaria [...]. Il y a aussi un grave problème de vivres, les quelques rizières existantes ne sont qu'une goutte d'eau dans un océan de friches livrées à la jungle [...]. C'est une forêt dans laquelle l'éléphant lui-même a de la peine à se frayer un passage.» Paul Butel, *Histoire du thé*. Éléphants défrichant une plantation, Assam, vers 1880 (ci-dessus).

Arrivés à destination, les Européens étaient logés dans des huttes de bambou dont le mobilier se résumait à quelques caisses. Il fallait d'abord défricher la jungle et sélectionner les arbres à thé ; on obtenait une première récolte l'année suivante, après quoi les pépinières se développaient et les plantations s'agrandissaient. Dès que cela était possible, le planteur se construisait un bungalow qui lui offrait enfin une vie matérielle moins rudimentaire. Il devait pourtant s'accommoder de la solitude : installés à une grande distance les uns des autres, les colons devaient aussi voyager continuellement par bateau ou à dos d'éléphant pour surveiller les travaux d'extension des domaines. Au bungalow comme au camp, le soir, seule une bougie ou une lampe à kérosène tenait compagnie ; à la nuit tombante, les animaux sauvages rôdaient et il s'agissait d'être bon tireur. De plus, le climat insalubre mettait le planteur à la merci de maladies telles que la malaria, le choléra, la fièvre jaune, la dysenterie…

Au cours des décennies, les planteurs accédèrent peu à peu à de meilleures conditions de vie ; l'arrivée de leurs épouses auprès d'eux joua un rôle considérable dans l'organisation d'une vie sociale. Les bungalows des années 1880, tenus par des *memsahibs* qui pratiquaient l'art de recevoir à l'européenne, n'avaient plus rien de commun avec les huttes des débuts de la colonisation. Les familles, perpétuant les modèles de la métropole, s'habillaient le dimanche pour se rendre au club où les planteurs pouvaient s'affronter dans des équipes de polo et de cricket. La chasse devenait le loisir favori. Entre-temps, la Compagnie de l'Assam avait construit des routes, organisé un service régulier de bateaux permettant de remonter jusqu'à Nazira ; des entrepôts, établis tout le long du fleuve, facilitaient désormais l'approvisionnement.

En 1881, une ligne de chemin de fer fut enfin ouverte. À cette époque, cinq cent quatre-vingts planteurs vivaient en Assam, cent trente au Bengale – notamment à Darjeeling qui produira le meilleur thé indien – et quarante dans le nord-ouest de l'Inde.

La jungle qui avait découragé nombre de planteurs et ôté la vie à beaucoup d'autres, n'épargna pas davantage les employés locaux qui travaillaient sur les jardins de thé. Dès que les plantations eurent pris de l'extension, le besoin de main-d'œuvre devint un vrai problème. Un recrutement s'organisa alors au Bengale, tout au long de la route du fleuve qui remonte vers l'Assam. Et à Calcutta, des intermédiaires firent fortune en attirant des coolies par centaines, leur promettant là encore un bon salaire et un travail facile. Une grande partie de cette main-d'œuvre mourait au cours des voyages longs et pénibles ; et les hommes qui parvenaient jusqu'aux plantations, travaillant sans relâche et sans assistance sanitaire, étaient rapidement décimés par les maladies.

Certains planteurs tentèrent de réglementer l'embauche et le travail des coolies. Mais on engageait aussi de manière abusive la responsabilité de ces derniers : le coolie qui rompait

«Ah ! Monsieur ! L'industrie du thé, en Assam, on pourrait écrire des volumes là-dessus. Songez-donc : d'un côté vous avez les Anglais poussés par le désir du gain, allié d'ailleurs parfois à une réelle intention de conquérir la jungle d'Assam à la civilisation, par conséquent impatients, violents car ils ne savent pas l'avenir que leur apporteront les cours de la Bourse ; de l'autre des Hindous du Sud, misérables, chassés de chez eux par la misère et la faim.» Ferdinand Goetel, *Voyage aux Indes*, 1937. Sur la plantation, les petites cueilleuses indiennes attendent le pesage de leur récolte, photographie de la fin du XIXᵉ siècle (ci-contre).

son contrat était passible de prison et en fin d'engagement le retour s'effectuait à ses frais. Mal nourri, logé aux abords des domaines sur des terrains marécageux infestés de moustiques, travaillant sous les pluies de la mousson, un tiers des employés d'une plantation mourait sur place ; femmes et enfants ne faisaient l'objet d'aucune réglementation spécifique. Le fouet punissait l'absentéisme et toute tentative d'évasion. Le colon d'Assam fut souvent comparé au planteur esclavagiste d'Amérique et l'on parla du «thé amer» de l'Assam.

La situation s'aggrava encore avec la crise des années 1860. Aux problèmes de main-d'œuvre s'ajouta l'inexpérience de nouveaux planteurs – officiers à la retraite ou boutiquiers divers – qui, sans connaître la culture du thé, investissaient dans quelques arpents de jungle en espérant y faire fortune. Privilégiant la quantité au détriment de la qualité, ils favorisèrent l'extension anarchique des cultures et l'importation inconsidérée d'une main-d'œuvre inefficace.

Il faudra attendre les années 1870 pour que les thés de l'Assam redeviennent compétitifs, et 1930 pour que la situation des coolies sur les plantations soit protégée par une réglementation réellement appliquée.

Entre-temps, quelques plants d'Assam étaient parvenus à Ceylan : de nouveaux pionniers, exilés par la famine sévissant en Écosse, allaient faire de la petite île de l'océan Indien l'un des plus grands producteurs de thé.

«Le planteur de thé est devenu le maître de Darjeeling. Celui-ci saura dans l'avenir surmonter tous les obstacles, enjamber les précipices, traverser les forêts et mettre Darjeeling en communication avec le reste du monde. Mais pour le moment, Darjeeling est toujours le bizarre camp des nomades du Nord, perché au sommet d'une montagne sauvage.» Ferdinand Goetel, *Voyage aux Indes*. Ci-dessus, Darjeeling, photographie de Phillips Ellis, fin XIXe siècle. Ci-contre, le roulage des feuilles à la main, du même photographe.

LE DOMAINE DE LOOLECONDERA

Rien ne prédisposait l'île de Ceylan, colonie de la Couronne britannique depuis 1802, à un tel destin, le théier ne figurant pas parmi les espèces de la flore locale; mais depuis le début du XIXe siècle, quelques passionnés utilisaient leurs jardins comme terrain d'expérimentation. En 1839, le docteur Wallich, responsable du jardin botanique de Calcutta, expédia quelques graines de théier d'Assam au jardin de Peradeniya, près de Kandy. Cet envoi fut suivi de deux cent cinq plants dont une partie parvint à Nuwara Eliya, station climatique située au sud de Kandy, à deux mille mètres d'altitude. Les essais effectués à Nuwara Eliya se révélèrent tout à fait concluants. Des graines de théiers chinois – introduites à Cey-

lan par l'intermédiaire de voyageurs, tel Maurice de Worms – furent également mises en culture dans les pépinières de Peradeniya. Mais on n'obtint, cette fois, que de médiocres résultats et les souches d'origine chinoise furent peu à peu abandonnées au profit des plants d'Assam qui d'ailleurs, de nos jours, constituent la totalité des jardins de Ceylan.

La culture du thé demeura néanmoins marginale pendant plus de vingt ans ; en effet, la prospérité du pays était assurée par le café dont la production rivalisait, en qualité, avec celle du Brésil. L'apparition, en 1869, d'un champignon parasitaire (l'*Hemileia vastatrix*) bouleversa cette situation : peu à peu les plantations de café furent détruites. Le thé apparut alors comme une providence et en quelques années on assista à une complète reconversion de l'économie locale. Cette sub-

Le «bungalow» des planteurs de thé, et autres colons ou fonctionnaires britanniques qui s'installèrent en Inde, donna naissance à une typologie architecturale très caractéristique – notamment au XIXe siècle – des édifices anglo-indiens, dont le toit débordant des murs et soutenu, au besoin, de poteaux, formait une véranda ombragée. Plus tard, cette véranda, embellie, traitée en arcades ou péristyle à colonnes, sera une constante des villas et palais de Colombo ou Calcutta. Plantation des jeunes pousses de théier, Ceylan, vers 1890 (ci-dessus). Le bungalow du planteur de thé et la fabrique, Ceylan, vers 1890 (ci-contre).

stitution de culture fut en grande partie réalisée grâce aux initiatives fructueuses d'un certain James Taylor.

C'est en 1851, près de Mincing Lane, que James Taylor signa son destin en s'engageant pour trois ans comme aide-surveillant sur une plantation de café, à Ceylan. Ce jeune Écossais, fils d'un modeste charron, n'avait que seize ans et ne devait jamais revoir son pays natal. Mais il allait envoyer à son père, tout au long de sa vie, des lettres qui sont un témoignage unique sur la vie quotidienne du planteur de cette époque. Cinq ans après ses débuts, ses employeurs, Harrison et Leake, surpris par la qualité de son travail, confièrent à Taylor l'exploitation du domaine de Loolecondera et le chargèrent d'y expérimenter la culture du thé. Le jardin de Peradeniya lui remit ses premières graines vers 1860.

Taylor installa alors la première «manufacture» de l'île. C'était en fait une installation assez rudimentaire que son voisin, le planteur E.G. Harding, cité par D.M. Forrest, décrivit ainsi : «La fabrique était située dans le bungalow même ; sur des tables placées sous la véranda, les feuilles étaient roulées à la main, c'est-à-dire du poignet au coude ; le séchage s'effectuait au charbon de bois, dans des fours en terre pourvus de plateaux en fil de fer sur lesquels on posait les feuilles ; le résultat donnait un thé délicieux que nous vendions localement au prix d'une roupie et demie par livre.» La «fabrique» fut rapidement célèbre dans l'île. En 1872, James Taylor inventait une machine à rouler les feuilles ; et un an

plus tard, il envoyait à Mincing Lane vingt-trois livres de thé. Dès lors, Taylor ayant formé de nombreux assistants, le thé de Ceylan parviendra régulièrement à Londres ou Melbourne. Ces succès entraînèrent l'ouverture des ventes aux enchères de Colombo en 1883, et, en 1894, la création de l'Association des négociants en thé de Colombo.

Jusqu'à la fin de sa vie, James Taylor continua à expérimenter de nouvelles techniques et méthodes sur ce domaine de Loolecondera... dont il ne fut jamais propriétaire. Aimé de tous, planteurs européens et travailleurs indigènes, Taylor resta un solitaire, ne quittant jamais son domaine, excepté pour les seules brèves vacances de sa vie qu'il passa... à Darjeeling en 1874 afin d'y étudier les nouvelles plantations de thé. Tant d'obstination et de talent furent officiellement reconnus : le gouverneur de l'île, Sir William Gregory, lui rendit visite en 1890 pour le féliciter de la qualité de sa production ; et l'Association des planteurs de Ceylan, créée en 1886, lui remit un service à thé en argent, gravé d'une inscription rendant hommage à son rôle de pionnier.

Mais l'essor de l'industrie du thé dont Taylor avait été l'artisan fut précisément la cause de son infortune. Cet essor s'accompagna d'une concentration des capitaux entre les mains des grandes compagnies basées en métropole et une vague de restructuration foncière balaya au passage les petits exploitants. Taylor, comme d'autres planteurs, fut écarté. Profondément déçu, il décida de rester sur sa terre, malgré un ordre de départ ; peu de

«À six heures, la journée est terminée ; tous les travailleurs se réunissent à la factorerie. On y pèse et vérifie leur récolte. La première opération que subit la feuille de thé, c'est la dessiccation [...]. Puis pendant environ vingt minutes les feuilles sont brassées dans un cylindre et amenées sur des plaques de verre où elles fermentent deux heures ; ensuite, dans l'air chaud, on fait un criblage sur un tamis de fil métallique [...]. Les ouvrières répartissent les feuilles fines ou grosses en des corbeilles différentes ; après quoi, le thé est emballé dans des boîtes doublées en métal soudé. Ces caisses s'envoient à Colombo, d'où elles se réexpédient dans le monde entier.» Fia Öhman, *Impressions de Ceylan*, 1925. Ci-contre, mise en caisses du thé, Ceylan, vers 1890.

temps après, il mourut subitement de dysente-rie, en 1892, à l'âge de cinquante-sept ans, sur le sol de Loolecondera, sa seule passion.

Les expositions de 1884 et 1886 à Londres firent connaître aux Anglais puis aux étrangers les thés de l'Empire britannique. Mais c'est avec l'Exposition universelle de Chicago, en 1893, que le thé de Ceylan connut sa véritable consécration : on n'en vendit pas moins d'un million de paquets. Enfin en 1900, à Paris, les visiteurs découvrirent au Pavillon de Ceylan des répliques de manufactures de thé et les *five o'clock tea* devinrent à la mode : «La coquette maison coloniale aux stores éclatants, la succulence du breuvage, la beauté des Cinghalais, vivantes statues de bronze drapées dans des pagnes d'une blancheur étincelante, tout cela fit le succès de ce coin charmant du Trocadéro», décrivait un chroniqueur de l'époque...

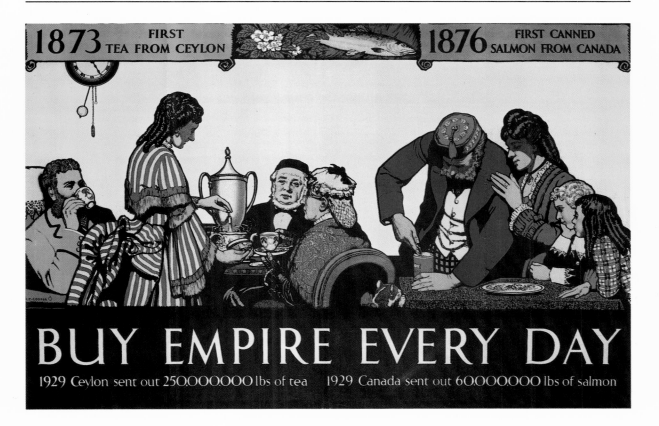

L'Association des planteurs soutint cette campagne de propagande en lançant quelques opérations de prestige : en 1891, le kaiser Guillaume II, le tsar Alexandre III et le grand-duc Nicolas, la reine d'Italie ainsi que l'empereur François-Joseph reçurent soixante coffrets de thé qu'accompagnait un album illustré sur Ceylan.

Cette politique promotionnelle fut si bien menée qu'à la fin du XIXe siècle, le mot «thé» n'était plus associé à la Chine mais à Ceylan. La prospérité de l'île – qui suscitait la convoitise des grandes firmes britanniques et des négociants londoniens, soucieux d'acquérir leur propre plantation pour échapper aux intermédiaires – marquait une nouvelle étape dans cette saga du thé : à l'ère des pionniers allait succéder l'ère des marchands dont le nom ou le label éclipserait bientôt l'origine géographique du thé.

Au lendemain de la Première Guerre mondiale, la Grande-Bretagne n'occupe plus l'avant-scène du marché international. À cela s'ajoutent une forte montée du chômage et des troubles sociaux. Pour renforcer la cohésion nationale et stimuler l'économie, une campagne gouvernementale incitera les citoyens de l'Empire à acheter les produits britanniques : la laine de Nouvelle-Zélande, les oranges d'Afrique du Sud ou, bien sûr, le thé d'Inde et de Ceylan qui suffisait à «fournir tout l'Empire». Affiches de l'Empire Marketing Board (ci-dessus et page de gauche, en haut). Publicité Lipton rappelant le succès remporté à l'Exposition de Chicago, en 1893 (en vignette).

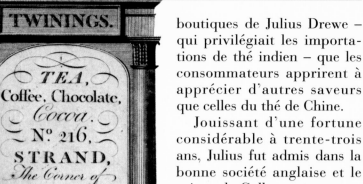

LE LION D'OR DE THOMAS TWINING

Le fabuleux essor du commerce du thé, dans l'Angleterre des années 1880, permit à quelques négociants britanniques d'imposer leur label au monde entier et de créer de véritables empires financiers. Des empires parfois nés de leurs rêves d'enfants et qu'ils bâtirent en conjuguant l'ingéniosité à un certain sens de l'humour et de la démesure.

Tel est le cas de Julius Drewe. En 1878, il ouvrit à Liverpool The Willow Pattern Tea Store ou «La Boutique de Thé au Motif du Saule Pleureur», dont le nom évoquait le décor à la chinoise d'un type d'assiette très prisé par les amateurs d'exotisme. Ce saule allait devenir l'emblème d'une exceptionnelle réussite. Né en 1856, Julius commença sa carrière dans l'entreprise de son oncle, importateur de thé. Chargé des achats, le jeune homme voyageait beaucoup et découvrit l'Asie avec fascination. Il décida néanmoins de s'établir et ouvrit la boutique de Liverpool, puis, dans les années 1880, les Home and Colonial Stores : on dénombra bientôt cent six boutiques à travers tout le pays. Le succès de cette entreprise ne fut pas sans influence sur l'évolution des goûts et habitudes du buveur de thé britannique ; c'est en fréquentant les boutiques de Julius Drewe – qui privilégiait les importations de thé indien – que les consommateurs apprirent à apprécier d'autres saveurs que celles du thé de Chine.

Jouissant d'une fortune considérable à trente-trois ans, Julius fut admis dans la bonne société anglaise et le prince de Galles, notamment, l'honorait de son amitié. Pour compenser cette trop récente ascension, il abandonna la gestion de son affaire à ses associés et se mit à étudier le passé de sa famille. Se découvrant des origines aristocratiques, il décida de consacrer sa fortune à la construction d'un château fort pour commémorer à la fois ses ancêtres et sa propre origine noble. Il choisit, pour réaliser son œuvre, le plus talentueux des architectes de son époque, Sir Edwin Lutyens qui restera célèbre pour avoir construit, entre autres, le palais du vice-roi des Indes à New Delhi. Commencés en 1911, les travaux ne furent achevés qu'en 1931. Castel Drogo se dresse toujours dans le paysage sauvage du Devon mais son propriétaire n'eut pas le loisir d'en profiter : il mourut l'année même où son château fut terminé.

Tandis que Drewe créait sa première boutique, les Twining, eux, étaient déjà établis et reconnus depuis cinq générations. Marchands de thé de père en fils, ils s'étaient tous illustrés dans ce négoce et formaient une véritable

Les importateurs britanniques s'efforçaient de convaincre les consommateurs de choisir leur thé plutôt qu'un autre. Pour leur promotion, les Twining utilisaient leur qualité de «fournisseurs de l'aristocratie». Diverses maisons proposaient – avec leur thé – du sucre qu'elles vendaient à perte, tandis que d'autres offraient des plans de Londres ou des almanachs illustrés. À la fin du XIXe siècle, les cadeaux promotionnels se multiplièrent. Pour un certain achat de thé, on pouvait recevoir du linge de table, des théières, des chaises de bébé et même de l'argent. Carte commerciale, Twining, XVIIIe siècle (ci-dessus). Objets promotionnels, Twining, 1900 et 1920 (ci-contre).

A Gift from
TWININGS

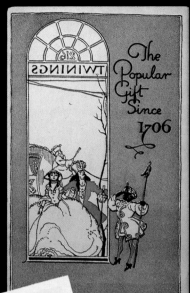

The Popular Gift Since 1706

dynastie dont l'histoire est parallèle à celle du thé en Europe.

Le fondateur de cette lignée, Thomas, naquit en 1675. Il était le fils de Daniel Twining, tisserand de son état. Comme l'entreprise paternelle manquait de débouchés, toute la famille émigra à Londres, en 1684. En 1706 Thomas créa sa propre affaire en ouvrant un café : la Tom's Coffee House. Situé sur le Strand, ce nouvel établissement ne manquait pas de concurrents. On dénombrait à l'époque, dans ce quartier des affaires, plus de deux cent cinquante cafés ! Mais celui de «Tom» fut le premier à soutenir systématiquement la dégustation du thé à la tasse, ce qui détermina sans nul doute son rapide succès. Écrivains, poètes, médecins ou hommes de loi prirent l'habitude de s'y retrouver pour discuter art ou politique : bientôt Twining dut ouvrir une seconde salle. Puis en 1717, il acheta l'immeuble voisin de sa *coffee house* pour y installer une boutique de vente au détail. On s'y procurait, au poids, le thé en feuilles et le café en grains ; mais surtout la clientèle féminine, qui ne fréquentait pas les *coffee houses*, était autorisée à consommer sur place.

The Golden Lyon, «Le Lion d'Or», car telle était l'enseigne qu'avait choisie Twining, ne fournissait pas que les particuliers : se spécia-

lisant peu à peu dans la distribution du thé, il approvisionnait également tous les détaillants qui, à Londres ou en province, en faisaient commerce – apothicaires, aubergistes, voire orfèvres –, les épiciers ne vendant pas encore de thé. En peu de temps, les commandes augmentèrent et Thomas multiplia le volume de ses importations (qui provenaient de Chine et s'effectuaient alors par l'intermédiaire de l'East India Company). Lorsqu'en 1734 Thomas s'associa avec son fils Daniel, la maison Twining devint une entreprise familiale dont les représentants successifs allaient maintenir le renom jusqu'à nos jours. Il ne fallut pas plus de deux générations pour que le réseau commercial mis en place par Thomas prenne de l'extension : il s'étendit bientôt au-delà des frontières britanniques et gagna l'Europe, l'Amérique et les Indes occidentales. Cette réussite ne devait rien au hasard. Les héritiers du clan Twining étaient en effet initiés aux affaires dès leur plus jeune âge et se voyaient confier de véritables responsabilités avant leur vingtième anniversaire. Ils restaient ensuite dans la maison parfois jusqu'à leur mort et jouèrent souvent un rôle de leader dans le commerce du thé.

C'est ainsi que Richard I, le petit-fils de Thomas Twining, devint président de l'Associa-

Dans les années 1880 le thé est en Angleterre au faîte de sa popularité et les marchands de thé jouissent d'une exceptionnelle prospérité. Les Twining, qui sont désormais à la tête d'une maison de réputation internationale, réinvestissent leurs bénéfices dans les œuvres philanthropiques. Thomas Twining crée un musée des Techniques et de l'Hygiène et signe des ouvrages destinés à l'édification des classes laborieuses. Quant à sa sœur, Elizabeth, elle fonde l'hôpital Saint-John, à Londres. La boutique Twining, à Paris, vers 1900 ; cet établissement, situé boulevard Haussmann, existe toujours (ci-dessus). Publicité 1900 (en vignette). Le livre de comptes de la maison Twining, à Londres (ci-contre).

tion des commerçants de thé. Richard II (1778-1857) connut les premiers clippers, bateaux plus légers que les précédents, qui apportèrent leurs cargaisons d'Asie en quatre-vingt-dix jours au lieu de six mois. À son tour, il exploita si bien l'héritage de son père qu'il obtint de la reine Victoria, en 1837, le brevet de fournisseur attitré de Sa Majesté auquel s'ajouta, en 1863, celui de fournisseur du prince de Galles. Deux distinctions officielles dont bénéficie encore, à l'heure actuelle, la célèbre maison de thé. Quant à Richard III (1807-1906), il comprit qu'un label de qualité pouvait aisément concurrencer les innovations les plus compétitives. Une nouvelle pratique commerciale venait en effet de révolutionner le marché du thé : la vente en paquet fermé supplantait progressivement la vente au poids. C'est un certain Horniman, petit négociant de l'île de Wight, qui avait mis au point cette idée afin d'éviter toute falsification du produit. Horniman vendit bientôt cinq millions de paquets par an... Mais cet argument laissa Richard III insensible. Il préférait miser sur le prestige de la tradition. Il n'avait pas tort : il s'attacha la clientèle des palaces et grands hôtels et conserva celle des amateurs qui achetaient au poids pour réaliser leurs propres mélanges.

La vente en paquet sera néanmoins introduite chez Twining à partir de 1930, tout comme la vente en sachet. En 1939, enfin, les Twining s'installèrent à Ceylan, se dégageant ainsi des intermédiaires auxquels ils avaient eu recours depuis des générations. Cependant, en dépit de ces bouleversements, la vénérable maison demeura exceptionnellement fidèle à l'esprit de son fondateur : c'est, aujourd'hui encore, un Twining qui dirige l'affaire et la boutique à l'enseigne du lion d'or subsiste, inchangée, à la même place.

Les clippers, construits à partir de 1850 dans les chantiers navals d'Aberdeen, Glasgow ou Liverpool, disputaient chaque année la célèbre «Course du thé». C'était à celui qui rapporterait le premier – après une régate planétaire de 16 000 milles – la nouvelle récolte de thé chinois. Le *Cutty Sark* ne gagna jamais la course mais s'illustra lors de son second voyage en ralliant Londres après avoir perdu, en plein océan Indien, son gouvernail. Ce voilier, seul survivant de cette époque glorieuse, est aujourd'hui ouvert au public qui peut le visiter à Greenwich, sur la Tamise (ci-dessus). Boutiques d'importateurs de thé, Newcastle, vers 1900 (ci-contre). Publicité Horniman, 1900 (en vignette).

TEA TOM LIPTON

Le destin de Thomas Lipton, comparé à la saga des Twining, fut celui d'un homme solitaire, ne devant rien qu'à lui-même et à son génie des affaires ; il réalisa un tel empire financier que quelques décennies suffirent pour que son nom fût, dans l'esprit de ses contemporains, indissociablement lié au thé de Ceylan ; si bien que d'aucuns murmureront que Ceylan n'était pas une colonie britannique mais une colonie Lipton...

Dès son enfance à Glasgow, où il naquit en 1850, Lipton participait à la vie de la petite épicerie familiale, manifestant très vite des dons pour l'art du commerce : à quinze ans, il s'embarqua pour l'Amérique où il survécut en exerçant les petits métiers des plantations du Sud. Mais quatre années plus tard il était employé au rayon épicerie d'un grand magasin new-yorkais. C'est là qu'il apprit l'essentiel de ce qui fera son succès. Se pénétrant des méthodes de vente à l'américaine, il retint surtout les principes d'une nouvelle technique commerciale : la publicité. Des principes qu'il appliqua aussitôt en organisant pour son retour au pays, en 1869, une véritable mise en scène : ne quittant la cabine du bateau qu'à la nuit tombée, il arrima sur le toit d'un attelage les cadeaux ostentatoires qu'il destinait à sa mère, avant de se lancer dans une bruyante cavalcade sous les fenêtres de ses concitoyens. Tout Glasgow fut ainsi informé de son retour ! Mais le père du jeune homme refusa de bouleverser son petit négoce en adoptant les méthodes d'outre-Atlantique. Aussi Thomas, âgé de vingt-cinq ans et pourvu de cinq cents dol-

Dès son premier séjour à Ceylan, Lipton – en trois semaines – était devenu le principal propriétaire foncier privé de l'île. Mais son entrée dans le monde du thé ne se fit pas sans difficultés, comme il l'écrivit lui-même dans ses *Mémoires* : «Je ne voudrais pas que vous imaginiez que dans ces premières transactions à Ceylan tout s'est passé aussi facilement que si j'avais eu à écosser des petits pois. Ça a été exactement l'inverse. J'ai investi beaucoup de matière grise et énormément de travail. J'ai dû m'adapter à toute vitesse à un ensemble de faits qui m'étaient complètement étrangers.» Cueilleuses à Dambatenne, Ceylan, Lipton Garden, vers 1900 (ci-dessus).

lars d'économie, choisit de monter sa propre affaire. En 1880, soit cinq ans plus tard, il dirigeait une vingtaine de boutiques d'épicerie générale et, en 1890, il n'en possédait pas moins de trois cents. À quarante ans tout juste, il était devenu riche et très populaire. Son sens de la publicité et son goût inné pour la mise en scène lui acquirent un large public, séduit par les parades de rue et les attractions pleines d'humour qui accompagnaient l'inauguration de chacune de ses boutiques.

En 1890, Lipton s'embarqua pour un soi-disant voyage en Australie. Mais sa véritable destination était Ceylan. Depuis le «boom» du thé des années 1880, les courtiers de Mincing Lane tentaient de le convaincre de placer cette denrée parmi ses jambons et fromages, pensant que son immense réseau en augmenterait encore les ventes. Lipton décida d'aller lui-même étudier la question, sur place.

Lorsqu'il descendit au Grand Oriental Hotel de Colombo, il ignorait qu'il était à un tournant décisif de sa carrière. En revanche, il comprit très vite qu'il arrivait au bon moment : depuis l'apparition de la maladie qui avait progressivement ruiné la culture du café, les terres de Ceylan se vendaient à des taux dérisoires. Il partit donc visiter les jardins de Dam-

Ce milliardaire à qui tout réussissait n'avait cependant pas pu se faire admettre au sein du Royal Yacht Squadron de Cowes – le plus célèbre yacht-club du monde – en dépit de l'intervention personnelle de son ami Edward VII. Raison officielle : Sir Lipton manquait d'expérience nautique. Motif officieux : il avait commencé sa carrière en «vendant des saucisses». Il devra attendre trente ans pour être accepté. En apprenant la nouvelle, Lipton aurait dit : «Dites-moi, avez-vous une idée de l'adresse de ce club où je viens d'entrer ?» Portraits représentant Lipton visitant ses jardins de Ceylan, posant sur la véranda de son bungalow et dans une salle de ventes londonienne (ci-dessus).

batene et y acheta – à moitié prix de ce qu'il avait songé investir – quatre plantations de thé. De millionnaire, il allait devenir milliardaire. Il réorganisa ses plantations et adopta les innovations que Ceylan venait tout juste de découvrir : les machines à rouler les feuilles, les dessiccateurs, ainsi que les téléphériques qui facilitaient le transport de la cueillette des jardins jusqu'aux manufactures, dans les régions escarpées.

À cette époque, le thé était vendu, à Londres, trois shillings la livre, ce que Thomas jugeait excessif pour le budget d'une famille de classe moyenne. Il calcula donc que, grâce à la suppression des intermédiaires, on pouvait ramener ce prix à un shilling et sept pence tout en maintenant une source de profit. Il opta pour la vente en paquet qui impliquait un poids et une qualité standardisés et donc fiables. Enfin, il adopta son fameux slogan : *Direct from the tea garden to the tea*

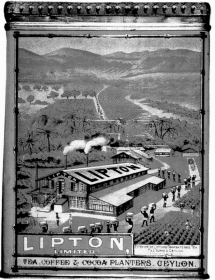

pot («Directement de la plantation à la théière»). L'inauguration de la première vente de thé des magasins Lipton donna lieu à une gigantesque parade : deux cents chômeurs de Glasgow, recrutés pour l'occasion, défilèrent dans la ville costumés en Cinghalais et précédés d'une formation de cavaliers.

Par ailleurs le thé fut encore perfectionné : les dégustateurs de la firme devaient veiller à ce qu'il fût en harmonie avec l'eau – plus ou moins calcaire – de chaque région ; de sorte que les mélanges proposés à la vente différaient d'une cité à l'autre. Lipton put alors lancer un nouveau slogan : *The perfect tea to suit the water of your own town* («Le meilleur thé pour l'eau de votre ville»).

Quand, à la mort de ses parents, Thomas quitta Glasgow, pour transférer le siège de sa société à Londres, Lipton devint la marque commerciale d'un produit national. En 1894, quatre ans seulement après

À un journaliste qui lui demandait quel était son secret, Lipton répondit : «Le secret, c'est de ne pas en avoir. Il faut faire de la publicité. C'est ça le secret. Ne perdez pas une occasion.» En 1924, Lipton réussit son plus gros coup publicitaire sans en être l'auteur : on donna son nom à une ville du Canada. Boîtes de thé (ci-dessus). Camionnette de livraison (ci-dessous). Ballots de thé sur les plantations cinghalaises (ci-contre).

le voyage à Ceylan, l'équipe londonienne comptait cinq cents personnes tandis que les plantations, manufactures, magasins et entrepôts salariaient dix mille employés. Un contexte si favorable ne pouvait qu'inciter l'ambitieux Lipton à élargir encore son empire.

Il se lança à la conquête du marché américain. Se procurant un échantillonnage des thés commercialisés dans les boutiques de New York et Chicago, il les fit analyser par ses laboratoires de Glasgow : il s'agissait de thés verts de Chine, de qualité commune, que les marchands exposaient dans leurs magasins sans précautions particulières et en caisses ouvertes. Lipton créa donc son réseau américain en insistant sur la manière de conserver le thé. À l'Exposition universelle de Chicago de 1893, la qualité de ses thés fut plusieurs fois primée.

Lipton, au faîte de sa réussite et comblé d'honneurs – il sera anobli en 1902 –, put enfin se consacrer à une passion qui, depuis l'enfance, ne l'avait jamais quitté : la voile. Il devint l'un des plus célèbres concurrents de l'America Cup en lançant dans la course de superbes voiliers, invariablement baptisés *Shamrock* (trèfle) en souvenir du premier bateau qu'il s'était taillé, enfant, avec un canif dans une caisse de la boutique paternelle.

L'opinion britannique se passionnait pour les faits et gestes de cet original qui, concurrent malheureux mais «gentleman du thé», était d'ores et déjà entré dans la légende. Passant l'hiver à New York et l'été à Ceylan – où on le surnommait familièrement «Tea Tom» –, Lipton ne cessait de surprendre ses contemporains. Certains le décriront comme un vieil homme sentimental qui parcourait seul les bas quartiers londoniens en distribuant des chocolats aux enfants pauvres. Et d'autres anecdotes contribueront à éclairer la personnalité de cet incorrigible calculateur. Durant un naufrage en mer Rouge, tandis que le bateau s'échouait lentement et qu'on le délestait de ses marchandises, Lipton se saisit d'un pinceau et d'un pot de peinture écarlate pour inscrire à gros traits sur les ballots qui s'éloignaient vers le rivage : «Buvez du thé Lipton»...

Avant de quitter Londres, pour aller disputer l'America's Cup de 1929, Thomas Lipton pose sur les quais de la gare de Waterloo avec une marchande de thé... Lipton (ci-dessus). L'arrivée du thé dans les docks de Londres, ici à Butlers Wharf, où les conditions de travail n'étaient pas sans similitudes avec celles des fabriques indiennes ou cinghalaises (ci-contre). De gauche à droite : réception des arrivages ; inspection des caisses ; mise en vrac du thé afin de mesurer le contenu des arrivages ; nouvelle mise en caisses ; pesage ; acheteurs examinant les échantillons de thé ; départ des expéditions ; enfants employés à l'étiquetage des boîtes destinées à la vente au détail. Ces entrepôts sont maintenant transformés en un quartier résidentiel en plein développement.

L' HEURE DU · THÉ

Gilles Brochard

e thé est la boisson la plus consommée dans le monde... après l'eau. De la Chine à L'Angleterre, de l'Inde aux États-Unis, du Japon au Maroc ou à la France, il a conquis des milliards d'hommes et imprimé sa marque dans toutes les civilisations. Mais s'il a connu ce succès, si l'on consomme aujourd'hui dans le monde un milliard cinq cents millions de tasses ou de verres de thé par jour, c'est qu'il a su aussi s'adapter aux peuples qu'il rencontrait. À l'inverse des sodas d'aujourd'hui, qui envahissent le monde à l'aide de gigantesques campagnes publicitaires, le thé n'a jamais menacé une culture, n'a jamais été synonyme d'uniformité. Tout simplement parce qu'il n'est pas une boisson toute prête qu'il suffit d'extraire d'un emballage. Le thé demande à celui qui le consomme une préparation, parfois longue, propice au rite, ouverte à l'invention, compatible avec la liberté de chacun. Aussi, en suivant les routes qui mènent du *cha* brûlant au beurre de yack au thé glacé et citronné, ou du Matcha fouetté au *tea* accompagné de lait, ce sont cent civilisations que nous rencontrons.

LE BERCEAU CHINOIS

Depuis son «invention» fortuite par l'empereur Chen Nung en 2737 av. J.-C. (une feuille de théier sauvage serait tombée dans son bol d'eau bouillante...) et pendant plus de trois mille ans, l'histoire du thé se confond avec celle de la société et de la civilisation chi-

Publicité d'un négociant proposant un «thé chinois au mandarin» (probablement un mélange parfumé), France, vers 1900 (ci-dessus). Le célèbre photographe Bill Brandt réalise dans les années trente un reportage en Angleterre et publie *The English at home* d'où est extraite cette photo (ci-contre). Le *tea break*, la pause-thé, dans une usine de Londres, vers 1930. Cette pratique, combattue par le patronat en période de récession économique, figurait au cahier des charges des syndicats ouvriers britanniques, au même titre que les revendications salariales (page précédente).

noises. «Des empereurs et des paysans, écrit John Blofeld dans *L'Art chinois du thé*, des anachorètes taoïstes, des moines bouddhistes, des médecins ambulants, des mandarins, des femmes charmantes, des artisans, des potiers, des poètes, des chanteurs, des peintres, des architectes, des paysagistes, des membres de tribus nomades qui troquaient des chevaux contre des briques de thé et des hommes d'État qui se servaient du thé pour se débarrasser des candidats envahissants, tous ont joué un rôle dans cette histoire.»

Et même si, à la différence du Japon, la Chine n'a pas sacralisé l'usage du thé en une véritable cérémonie, elle a néanmoins institué un rite : celui d'offrir un bol de thé à l'hôte, en signe de bienvenue. Kuanyin, disciple de Lao Tseu, qui présenta au «vieux philosophe» une coupe de l'élixir doré, serait à l'origine de cette pratique. Le thé devint ainsi, cinq siècles avant notre ère, ce qu'il est encore aujourd'hui dans de nombreux pays et particulièrement en Asie : une marque d'amitié et de sociabilité. Accompagnant la pensée taoïste, et donc intimement lié à l'essor du bouddhisme zen, il fut aussi très tôt considéré comme une énergie nécessaire à la méditation.

Il fallut attendre la flamboyante dynastie T'ang (618-907) pour que le thé, consommé et apprécié depuis des temps immémoriaux surtout pour ses propriétés médicinales, devienne à la fois l'objet d'une véritable vénération et d'un commerce florissant. Boisson très prisée à la cour, il fit des adeptes à travers tout l'empire jusqu'au Tibet et parmi les populations nomades – Mongols, Turcs ou Tartares – installées au-delà des frontières nord et ouest du pays. Le gouvernement sut judicieusement mettre à profit cet engouement pour instituer un impôt sur le commerce du thé. À la même époque, le poète Lu Yu rédigea le *Chaking*, première histoire du thé en même temps qu'hymne à sa gloire. En souvenir de quoi des générations de marchands l'honorèrent par la suite comme une sorte de saint patron. Lu Yu fit de nombreux émules, parmi lesquels Lu T'ung, surnommé le «fou de thé». Ce poète taoïste, né à la fin du VIIIe siècle, vécut retiré dans le Hu-nan où il devint l'un des premiers «maîtres de thé». Vénéré par ses contemporains, il consacra toute son existence à la poésie et à la préparation du thé, occupations résumées en un vers devenu célèbre : «Je ne m'intéresse nullement à l'immortalité mais seulement au goût du thé.»

Idéalisé par les poètes, codifié par les maîtres de thé, le thé devint sous la dynastie T'ang le breuvage indispensable aux esprits raffinés. L'art de la céramique se développa parallèlement et évolua dès lors vers des formes et des techniques plus sophistiquées. Des théières et des bols en argent ciselé ou en or firent même leur apparition, avant que les maîtres de thé ne déconseillent formellement l'usage d'ustensiles métalliques. Le plus souvent, on buvait dans de grands bols en bois. L'eau était bouillie dans des bouteilles en terre cuite et la plante se présentait en feuilles, en poudre ou en gâteau. C'est sous cette dernière forme qu'il était le plus apprécié des véri-

«On rencontre partout dans les villes chinoises de vastes boutiques où l'on n'entre que pour prendre du thé. Elles contiennent un certain nombre de tables de bois carrées, autour desquelles sont rangés des bancs et des chaises. Au fond se trouve le laboratoire [...] garni de tablettes supportant d'énormes bouilloires, des théières massives [...].» William Milne, *La Vie réelle en Chine*, 1850. Théière contemporaine en argile rouge de Yixing (en vignette). La maison de thé Woo Sing Ding, à Shanghai, vers 1900, qui aurait inspiré le décor des porcelaines anglaises dites «à motif de saule pleureur» *(willow-tree pattern)* (ci-contre, en haut). Maison de thé à Nankin, vers 1930 (en bas).

tables amateurs : on en coupait un morceau plus ou moins gros que l'on réduisait en poudre avant la préparation.

L'art du thé atteignit son apogée à partir du Xᵉ siècle durant la dynastie des Sung, demeurée célèbre pour ses céramiques. Pour obtenir la meilleure des boissons, chacun se devait de rechercher la perfection dans chacune des phases de sa préparation. La qualité de l'eau, la qualité de la plante, mais surtout les ustensiles – comme le petit moulin destiné à pulvériser les feuilles ou la petite baguette de bambou fendue pour les battre dans l'eau – prirent une importance considérable aux yeux des amateurs. Les bols en bois des T'ang furent remplacés par les *chien*, récipients plus larges et moins profonds. Et bientôt apparut la mode des concours de thé, particulièrement répandue chez les hauts fonctionnaires. Chacun d'entre eux gardait jalousement ses secrets de fabrication, allant jusqu'à chercher

lui-même dans les montagnes son eau de source préférée.

L'empereur Hui Tsung (1100-1126), qui se plaignait du «gaspillage de tant de bon thé par des manipulations imparfaites», encouragea cette recherche de perfection. Bon vivant, aimant la compagnie des courtisanes, peintre et poète, on lui reprochait parfois de préférer ses plaisirs aux devoirs de sa charge. Mais chacun reconnaissait son talent pour le thé, et son *Ta Kuan Ch'a Lun (Traité du thé)* devint la bible des amateurs. L'ouvrage célébrait les vertus d'une boisson qui libérait l'esprit de toute tension, physique ou mentale, faisait oublier le monde un instant et permettait ainsi de parvenir à une parfaite sérénité. Celle de l'empereur exigeait la dégustation d'un thé particulièrement pur. La «cueillette impériale» qui lui était réservée obéissait à des règles strictes : de jeunes vierges gantées et munies de ciseaux en or ne prélevaient sur le plant que le bourgeon

Le thé au jasmin qui accompagne le menu des restaurants chinois installés en Europe n'est qu'une forme d'exotisme car, en Chine, on ne boit pas de thé durant les repas. D'ailleurs on ne boit jamais en mangeant sauf de l'alcool pour les grandes occasions. Mais entre les repas et à toute heure du jour, le thé est omniprésent : dans la rue – où se perpétue la tradition des marchands de thé ambulants –, au bureau où l'on sert le thé dans des thermos de tôle émaillée. Le marchand de thé ambulant : aujourd'hui, à Canton (ci-dessus) ; hier, dans un village (ci-contre). Peinture du XIXᵉ siècle illustrant deux façons de servir le thé : tasses et théière sur la table de droite ; sur le plateau de la servante, tasses couvertes où le thé infuse directement (pages précédentes).

Chinese Hawker

et la plus jeune feuille, les laissaient sécher sur un plateau en or lui aussi, puis les versaient directement dans le bol de l'empereur.

Tous les Chinois ne pouvaient prétendre à un tel idéal de pureté. À Hang-Tcheou, capitale des Sung en Chine méridionale, les hauts fonctionnaires se retrouvaient dans des maisons de thé réputées pour leur luxe et leur chaude atmosphère, leurs somptueux décors de fleurs et de calligraphies, leur excellent alcool «aux fleurs de prunier» accompagné de friandises, et même les leçons de musique qu'on pouvait y prendre. Les amateurs moins fortunés s'approvisionnaient généralement auprès de marchands ambulants. Mais ils pouvaient se rendre aussi dans ces maisons de thé populaires que Marco Polo jugea peu fréquentables : des chanteuses un peu légères y assuraient une joyeuse animation.

Après la longue période de troubles occasionnés par l'invasion mongole et les révoltes contre la véritable oppression fiscale menée par les envahisseurs (le thé n'échappa pas au renforcement général des tributs), la Chine retrouva peu à peu la stabilité avec la dynastie Ming, fondée en 1368 à Nankin. La production du thé s'accrut et ses usages se transformèrent : la bouilloire détrôna la bouteille à thé et – comme il n'était plus question de boire «à la manière d'un bœuf assoiffé» – de minuscules tasses de porcelaine fine remplacèrent les rustiques bols en bois. La théière s'affirma dès lors comme l'ustensile le plus important de la préparation, le thé n'étant plus bouilli ni battu mais seulement infusé.

Cette pratique du thé infusé, typiquement chinoise, fit bientôt des adeptes au-delà des mers. Le thé et la porcelaine chinoises débarquèrent en Europe au début du XVIIe siècle, transportés par les navires hollandais de la Compagnie des Indes orientales. À la même époque, l'usage du thé en feuilles se répandit au Japon et en Corée, pays qui ne connaissaient jusqu'alors que le thé en poudre. En Corée, dont l'art du thé fut aussi brillant qu'en Chine dès le VIIIe siècle, on prendra l'habitude d'ajouter à l'infusion un peu de ginseng.

Les siècles passant, le thé devint en Chine un produit de première nécessité au même titre que le sel, le riz ou le vinaigre. Jusque dans les années cinquante, toutes les couches de la population s'abreuvaient de thé durant la journée, en famille, dans les maisons de thé ou sur les lieux de travail. Dans les maisons, la tradition d'en offrir à ses hôtes, même imprévus, se perpétuait. Le thé était gardé au chaud dans de larges théières enfouies dans des paniers capitonnés. Il n'était pas rare qu'un commerçant vous offre un bol de thé, et l'on en trouvait fréquemment dans les chambres d'hôtel, à la disposition des clients. En ville, de Pékin à Canton, les maisons de thé ouvraient leurs portes dès l'aube pour accueillir ceux qui, une heure après le lever du soleil, au moment où la force vitale est la plus pure, avaient coutume de promener leurs oiseaux familiers dans de petites cages. Puis venaient les artisans, les apprentis, les ouvriers. Dans les régions productrices, les villageois aimaient se réunir au milieu des planta-

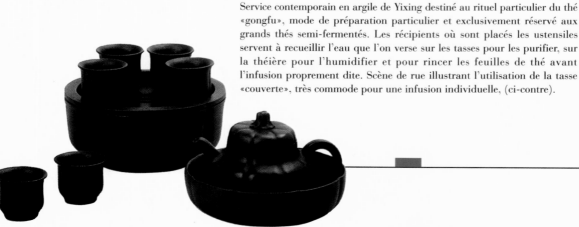

Service contemporain en argile de Yixing destiné au rituel particulier du thé «gongfu», mode de préparation particulier et exclusivement réservé aux grands thés semi-fermentés. Les récipients où sont placés les ustensiles servent à recueillir l'eau que l'on verse sur les tasses pour les purifier, sur la théière pour l'humidifier et pour rincer les feuilles de thé avant l'infusion proprement dite. Scène de rue illustrant l'utilisation de la tasse «couverte», très commode pour une infusion individuelle. (ci-contre).

tions, près des sources de montagnes, dans les meilleures maisons de thé qui soient.

John Blofeld, qui vécut trente ans en Chine, décrit un pique-nique, organisé par des étudiants dans les collines du nord de Tch'ong-K'ing, auquel il fut invité juste après la Seconde Guerre mondiale. On attisa le feu à l'aide d'une feuille sèche de bananier, remplaçant l'«éventail cassé» habituellement requis pour ce genre d'opération en plein air. On prépara le thé sur un réchaud alimenté au charbon de bois. Chacun des convives but d'abord quatre bols de thé vert infusé. Puis commença un jeu peu ordinaire, auquel John Blofeld dut se soumettre comme les autres. Il s'agissait d'improviser un poème sur un thème imposé : la source. Il put bredouiller quelques mots sur le sujet, en anglais, et son poème fut soumis à la critique. Son honneur fut sauf et le «véritable esprit du thé» l'emporta.

Si l'usage du thé se maintient toujours aujourd'hui dans l'intimité des foyers, en revanche la plupart des maisons de thé, les célébrations traditionnelles et la consommation en public ont pratiquement disparu depuis la «révolution culturelle». L'art du thé et le moment de détente qu'il procurait furent classés parmi les «loisirs improductifs» et quasiment prohibés. La Chine a néanmoins poursuivi une politique d'exportation massive, aussi bien, semble-t-il, que l'entretien de «jardins sacrés», petites plantations où se pratique en secret la cueillette impériale et qui fournissent aux hauts dignitaires du régime les meilleurs thés verts et blancs du monde.

Depuis quelques années, cependant, on assiste à la réouverture de maisons de thé, comme la Lanterne rouge de Tch'eng-tou, où des conteurs renouent avec des traditions typiquement féodales.

Chez les populations musulmanes de Kashi, la plus importante centralisation urbaine de l'ouest de la Chine, la tradition du thé n'a plus guère de relation avec les rituels chinois et s'apparente déjà aux pratiques que l'on peut observer au-delà des frontières, tout le long de la route des caravanes. Quand à Kashi, après la prière du vendredi, les hommes quittent la mosquée Id Kah, les femmes leur apportent solennellement le pain et le thé (ci-dessus). À Shanghai, la célèbre maison de thé Xu Xing Ting et celle du Jardin des Mandarins ; à Macao, la maison de thé Loc Koc (ci-contre).

LA VOIE DU THÉ

«Pouvez-vous me dire précisément ce que l'on doit avant tout comprendre et garder présent à l'esprit lors d'une réunion de thé ?», demanda un disciple de Sen Rikyû, le grand maître de thé. Celui-ci répondit : «Fais un délicieux bol de thé ; dispose le charbon de bois de façon à chauffer l'eau ; arrange les fleurs comme elles sont dans les champs ; en été, évoque la fraîcheur, en hiver, la chaleur ; devance en chaque chose le temps ; prépare-toi à la pluie ; aie pour tes invités tous les égards possibles.»

En quelques mots tout est dit. Celui qui, au XVIe siècle, instaura la codification de l'actuelle cérémonie du thé, le *cha-no-yu* (littéralement : «eau chaude du thé»), ajoutait dans sa synthèse, tant appréciée et fidèlement appliquée par les générations suivantes : «Le thé n'est rien d'autre que ceci : faire chauffer de l'eau, préparer le thé et le boire convenablement. C'est tout ce qu'il faut savoir.»

Toute la poésie du Japon mystique s'incarne dans la «Voie du thé», par cette cérémonie pratiquée dans une maison privée qu'on appelle la «maison du Vide». Comme le rappelait l'écrivain Okakura Kakuzo, dans *Le Livre du thé*, paru en 1906, chaque initié sait que la cérémonie est «une idéalisation de la forme de boire : une religion de l'art de vie». Il devra donc se soumettre, religieusement, à la rigueur d'un rite établi au XVIe siècle et qui fut à l'origine inspiré par des moines bouddhistes chinois. Le thé est ici un Matcha ou «mousse de jade», un thé vert en poudre, non infusé mais battu dans le bol à l'aide d'un petit fouet de bambou, le *chasen*.

«Une réunion de thé – écrit Yasunari Kawabata – est une communion de sentiments, quand de bons amis se retrouvent au meilleur moment, dans les meilleures conditions.» Elle est simple par essence, mais codifiée dans ses moindres détails. Avant de pénétrer dans la «maison de la Fantaisie» ou «maison du Vide», les invités doivent franchir un jardin par un sentier dallé, le *koji*, «terre humide de rosée». Ils marchent silencieusement pour oublier les bruits du monde. Les arbres, les buissons de mousse et les chants d'oiseaux les préparent à la concentration. Cette harmonie avec la nature est une condition indispensable à la cérémonie. On la prolonge dans la salle d'attente où quelques fleurs sont disposées dans un vase en bambou. Parfois, avant de quitter le jardin, l'hôte, qui a salué silencieusement ses amis, les invite à se rincer la bouche et à se laver les mains dans un petit bassin de pierre, gestes rituels de purification.

La pièce centrale où les invités s'installent est décorée par une calligraphie, un parchemin ou une peinture, choisis en fonction du jour, de la saison ou du thème de la réunion. L'hôte, entré par une porte coulissante, sert à chaque ami, assis en tailleur, un repas léger, le *kaiseki*, quintessence de la cuisine japonaise. Chaque mets, servi dans des plats sobres mais raffinés, provient des montagnes ou de

«Au dernier crépuscule, aux premières étoiles, ces dames arrivent, avec des révérences adorables [...]. À la ronde, sur des plateaux dont les formes sont spirituellement variées, circulent des fruits confits aux épices. Ensuite paraissent des tasses en porcelaine transparente, grandes comme des moitiés d'œuf, et l'on offre aux dames quelques gouttes d'un thé sans sucre contenu dans des bouillottes de poupées.» Pierre Loti, *Madame Chrysanthème*. Deux gravures datées de 1905, signées par Toshikata et extraites d'une série sur la cérémonie du thé ; en haut, mise en place des accessoires ; en bas, le départ des invitées.

l'océan. Il convient de savourer la nourriture de trois manières, précise Soshitsu Sen : «des yeux, de la langue et du cœur». Les convives utilisent des baguettes en bambou vert fraîchement coupé, qui rendent le contact des aliments avec le palais encore plus agréable. À la fin du repas, l'hôte offre à chacun un gâteau imbibé de sirop ou des *namagashi*, confiseries en pâte crue de haricots blancs. Les invités peuvent alors se rafraîchir dans le jardin, avant de revenir boire enfin un thé fort.

L'hôte manipule avec délicatesse les ustensiles nécessaires : le pot contenant le Matcha, la cuillère à thé, le *chasen*. L'eau chauffe dans une bouilloire posée sur un réchaud alimenté au charbon de bois, placé dans un creux du plancher. La tradition veut que les invités partagent le même bol, chacun attendant son tour, et l'hôte – qui lui ne boira pas – refaisant patiemment la même préparation, n'oubliant jamais de saluer celui qui tendra ses mains pour recevoir le bol. Celui-ci, pour boire, le tiendra avec les deux mains, le motif de la porcelaine tourné vers l'hôte. Le thé, d'une belle couleur avocat et d'un goût qui peut rappeler certains féculents, sera ainsi bu en trois fois. Chaque objet est alors consciencieusement lavé et rangé dans la petite pièce attenante servant à la préparation. Puis l'hôte revient et offre à chaque invité un gâteau, suivi d'un thé plus

léger, servi dans un bol différent. La réunion de thé s'achève alors dans le silence, la contemplation du feu et du décor. L'hôte raccompagne ses amis jusqu'au pas de la porte, puis range soigneusement les ustensiles, enlève les fleurs et veille à l'ordre et à la propreté des lieux.

«Aux yeux d'un observateur non averti, commente Soshitsu Sen, rien d'extraordinaire ne s'est passé. Pourtant, l'hôte et ses invités attendent de cette expérience qu'elle soit un microcosme de la vie elle-même.» Aussi la pratique de la cérémonie du thé exige-t-elle un long enseignement. Au Japon, il est dispensé aux enfants en dehors de l'école, au même titre que la musique ou la danse. De longues années d'apprentissage seront nécessaires pour atteindre le niveau de professeur... Les femmes, qu'elles soient ou non issues d'un milieu de thé, ne peuvent pratiquer la cérémonie que depuis le début du siècle, avec l'accord d'un grand maître de thé.

La cérémonie du thé subsiste aujourd'hui, mais avec les difficultés qu'on imagine dans le Japon moderne. Car elle ne peut se concevoir qu'à l'intérieur d'une véritable maison de thé privée, entourée d'un jardin et bâtie selon des proportions et avec des matériaux appropriés.

Néanmoins une maîtresse de maison peut la préparer si une pièce est réservée à cet

Les photographies de Felice Beato, réalisées dans les années 1860, témoignent des traditions de la société japonaise juste avant que celle-ci ne fût touchée par l'industrialisation et les valeurs occidentales. L'utilisation de la couleur (les tirages étaient coloriés à la main selon une technique japonaise, alors inconnue des Européens) donne un relief particulier à ces scènes de la vie quotidienne où, partout, le thé est présent. Halte à l'auberge (ci-dessus). Femme à la toilette et marchand de thé ambulant (ci-contre).

La Fondation Urasenke de Kyoto est la plus célèbre des trois écoles
de thé japonaises. Dans l'enceinte de cette fondation, le portique et
le *roji* – allée de cailloux et d'aiguilles de pin – qui mènent à la
«chambre de thé» (ci-dessus). La maison du maître de thé et l'une
des salles où l'on enseigne la «Voie du thé» (ci-contre).

effet. Elle décidera de l'occasion pour laquelle elle conviera, par écrit, et trois ou quatre semaines à l'avance, ses invités. Ce peut être pour la venue en ville d'une amie, pour les cerisiers en fleurs, ou simplement pour admirer la lune.

Les maisons de thé publiques, elles, connurent au Japon leur heure de gloire au XVIIe siècle. Lieux de réjouissance, où l'on braillait fort et où l'on jouait de la musique, elles avaient parfois des chambres où l'on pouvait passer la nuit.

Aujourd'hui, la modernisation – ou plutôt l'américanisation – du Japon a fait diminuer la consommation du thé, au profit d'autres boissons courantes. Bu tôt le matin pour bien commencer la journée, avant ou après les repas pour favoriser la digestion, le thé vert japonais a désormais perdu de sa sophistication et rejoint le quotidien. Depuis une dizaine d'an-

nées, les Japonais ont tendance à remplacer ce thé vert en feuilles par du thé semi-fermenté puis, après un temps d'adaptation, par du thé noir, qui peut être conditionné dans des sachets en nylon. La dernière mode semble être aux thés aromatisés (comme le thé à la pomme) et aux mélanges parfumés, souvent importés de France, et que les Japonais appellent d'ailleurs le «thé français»... Les véritables amateurs espèrent ainsi que les Japonais, et particulièrement les jeunes, renoueront par ce biais avec la «Voie du thé». Car ce breuvage demeure profondément inscrit dans la culture contemporaine du Japon, seul pays au monde où l'on élit chaque année une «Miss Thé» chargée de promouvoir la nouvelle récolte. En témoignent aussi des artistes, des cinéastes tels Yasujiro Ozu (*Le Goût du riz amer au thé vert*), qui lui accordent toujours une place privilégiée dans leur œuvre.

Rikyu, le grand maître du thé, soupçonné d'avoir trahi son seigneur, dut se donner la mort. Non sans avoir organisé une dernière cérémonie du thé à l'issue de laquelle il brisa son bol en disant : «Que jamais cette coupe, souillée par les lèvres du malheur, ne serve à un homme.» Les ustensiles de la cérémonie du thé, parmi lesquels la bouilloire et la louche pour puiser l'eau (ci-dessus). Artisan confectionnant le petit fouet avec lequel on bat le mélange d'eau et de thé vert en poudre [Matcha] (ci-contre). La cérémonie du thé au Japon. Récemment se sont développés au Japon des cours de cérémonie du thé réservés aux hommes pour leur permettre de se détendre après leurs journées de travail épuisantes (pages suivantes).

THÉS DU TIBET ET DE L'INDE

Dans les alpages himalayens, il n'est pas rare que le voyageur se fasse offrir du thé salé, agrémenté de lait de chèvre, par quelques bergers qui au printemps trouvent refuge dans des cabanes. Une pratique courante chez les Tibétains, qui remplacent le lait par du beurre de yack. Ce thé vert salé accompagne généralement la fameuse *tsampa*, galette d'orge ou de maïs grillé et moulu, à base de farine de blé noir, et qui se mange pétrie en boulettes.

Au milieu du XIXe siècle, le révérend père Huc décrivit dans ses *Souvenirs d'un voyage dans la Tartarie, le Tibet et la Chine*, les cérémonies d'offrandes de thé pratiquées dans les lamaseries. Il observa qu'il existait deux sortes de «thés» : le «thé particulier», offert par le pèlerin à un groupe restreint de lamas, et le «thé général» organisé pour des assemblées pouvant dépasser, lors de grandes fêtes, quatre mille personnes et coûtant une fortune au généreux donateur. «Le jour fixé pour l'offrande du thé général [...], une quarantaine de jeunes *chabis*, désignés par le sort, se rendent à la grande cuisine, et reparaissent un instant après, chargés de jarres de thé au lait : ils passent dans les rangs, et à mesure qu'ils avancent, les lamas tirent de leur sein leur écuelle de bois et on la leur remplit jusqu'au bord. Chacun boit en silence, ayant soin de ramener doucement un coin de son écharpe devant l'écuelle afin de corriger, par cette précaution de modestie, l'inconvenance que pourrait présenter cet acte matériel, si peu en harmonie avec la sainteté du lieu. [...] Quand le festin est terminé, le lama président proclame solennellement le nom du pieux pèlerin

Quand Alexandra David-Neel débarque pour la première fois en Inde, elle se souvient que, «près du port, se trouvait un pavillon où on prenait du thé, d'excellent thé, accompagné de toasts, de cakes ou d'autres produits de l'art culinaire anglais» *(L'Inde où j'ai vécu)*. C'est ce rituel britannique que l'Inde s'est approprié pour l'adapter à ses propres traditions, en y adjoignant certaines pratiques tibétaines (dont l'infusion de la feuille de thé dans du lait). À la frontière du Pakistan, soldats indiens autour d'une tasse de thé accompagnée de *samoussas*, beignets épicés (ci-dessus). Paysanne du Cachemire interrompant le travail des champs pour boire un thé dans lequel ont été versés des grains de cardamome et des amandes pilées (ci-contre).

qui s'est procuré le mérite immense de régaler la sainte famille des lamas.»

Objet de pieuse offrande – fait sans doute unique au monde –, le thé au Tibet a toujours été aussi, comme en Chine, un des rites essentiels de l'hospitalité. L'invité, généralement accueilli dans la pièce du foyer, centre de la vie domestique, est installé devant une table basse sur laquelle se trouvent disposés un bol, une boîte à *tsampa* et parfois une sorte de baratte servant à mélanger le beurre au thé salé. Pour éviter tout mauvais augure, le bol vide doit être rempli à ras bord.

Un millénaire sépare l'introduction du thé chinois au Tibet, au IXe siècle, de son implantation en Inde par les colons anglais. L'Inde, et particulièrement ses contreforts himalayens du nord, était propice à la culture d'un arbre qui poussait déjà naturellement en Assam. Le premier thé indien, venu précisément d'Assam, fut vendu à Londres en 1839. C'était un thé cultivé dans des conditions effroyables qui n'empêchaient pourtant pas les colons de l'Empire britannique, plus *British* encore qu'en métropole, de sacrifier religieusement au *tea time*. Sous les vérandas brûlantes de leurs grands domaines gagnés sur la jungle, casques coloniaux et sticks posés sur une table, les planteurs, goûtant au vent tiède d'un panka actionné par un boy, se faisaient rituellement servir le thé, les *buns* (petits pains), les cakes et les sandwichs, parfois légèrement épicés.

Aujourd'hui premier producteur et deuxième exportateur de thé au monde (juste après Ceylan), l'Inde est également l'un des pays les plus consommateurs. Mais c'est surtout dans le nord du pays qu'on l'apprécie, les méridionaux préférant le café. Dans les villes du nord, des chapelets de minuscules échoppes s'alignent le long des trottoirs, où à toute heure des *tchayvalas* (marchands de thé) servent leurs clients assis sur de petits bancs. Le *tchaï*, préparé avec grand soin, frémit inlassablement dans des sortes de samovars, et un verre ne coûte que quelques roupies... Il est en général servi très corsé, très sucré et accompagné de beaucoup de lait (souvent concentré). Les consommateurs pressés ont coutume de verser un peu de liquide dans la soucoupe, pour le refroidir avant de le boire. Le thé, boisson nationale et populaire, est aussi bien consommé chez soi, en ville, que dans les moindres petits villages. Au Pendjab, et dans l'extrême nord du pays, il est mélangé à du lait porté à ébullition et à de fortes épices.

Mais qui a voyagé en Inde, et particulièrement durant la mousson, quand la touffeur de l'air déshydrate cruellement, a surtout noté, et apprécié, la véritable institution qu'est le thé dans les trains et dans les gares. Il y est maintenu brûlant dans de grandes bouilloires et servi dans des coupelles en terre cuite que chacun brise après usage. Ainsi le voyageur aura la certitude qu'aucun membre d'une caste inférieure n'a pu boire dans le même récipient que lui. Dans les grandes gares, qui sont en Inde des petites villes animées jour et nuit, les anciennes *retiring rooms* ont été transfor-

«Le thé, boisson des peuples cérémonieux, s'apparentait à la mousson, aux pluies moites ; apaisant et excitant à la fois, il appelait la palabre, la détente [...]. Dans sa transparence brûlante infusaient lentement les idées, les traditions.» Pascal Bruckner, *Parias*. Théière posée sur un réchaud, poivre et piments rouges pour un thé épicé, tel qu'on le consomme dans le nord de l'Inde (ci-contre).

mées en chambres de repos très bon marché. Si l'on y passe la nuit, le matin vers six heures un garçon vêtu de blanc annonce d'une voix forte en donnant de grands coups sur la porte : «*Morning tea ! Morning tea !*» Dans ce pays immense aux décors changeants, le thé est ainsi associé aux voyages, aux longs itinéraires au cours desquels, de région en région, on voit changer les saisons. Dans les contreforts himalayens, c'est du froid qu'il console les voyageurs, et sa chaleur est propice aux rencontres. «Dans ma solitude que rien ne vient troubler, écrit P. Bruneton dans *En solitaire dans l'Himalaya*, sur les hauts plateaux de l'Himalaya, j'apprends à jouir du plaisir que procure une tasse de thé. Quand je rentre à la fin du crépuscule, la douce chaleur du thé me pénètre alors que la nuit enveloppe d'ombres mon aire. Combien de fois a-t-il suffit d'une simple tasse de thé pour faire connaissance avec des gens et pour nouer les liens d'une amitié qui durera autant que notre vie !»

«Me voilà comme toujours luxueusement installé dans un compartiment de première. C'est le sixième train que je prends depuis que je suis aux Indes [...]. Si je pars la nuit, un employé m'attend à la gare pour m'indiquer le compartiment qui m'est réservé ; le jour, à peine ai-je ouvert les yeux, qu'on me sert le Tchota-Khazri (c'est-à-dire du thé, un biscuit et une banane, sorte d'entrée au petit déjeuner).» Ferdinand Goetel, *Voyage aux Indes*, 1937. À Porbandar, durant la mousson, marchand de thé ambulant transportant ses accessoires (ci-dessus). Le service du thé sur un train indien tient plus du spectacle de funambules que de la tradition hôtelière, car les soufflets entre le wagon-restaurant et les premières classes sont fermés afin que les passagers des autres classes ne viennent pas importuner ceux de première (ci-contre).

JUSQU'AUX RIVAGES MÉDITERRANÉENS

Avant l'ouverture des voies maritimes qui, à partir du XVIᵉ siècle, relièrent l'Europe à l'Asie, le goût du thé se répandit vers l'ouest en empruntant les routes des caravanes. L'Afghanistan, qui se trouvait au carrefour des principaux axes d'échange – notamment la célèbre route de la soie –, découvrit probablement assez tôt le thé. Il est aujourd'hui la boisson nationale des Afghans. On le boit assis sur le sol, accroupi ou en tailleur, aussi bien chez soi

En suivant, vers l'ouest, l'itinéraire des caravaniers, le goût du thé s'adapta diversement aux coutumes des populations locales. Cependant, les buveurs de thé d'Asie occidentale possèdent en commun certains usages. Ainsi l'utilisation du samovar – qui aurait été inventé dés le XVIIIᵉ siècle dans les fabriques métallurgiques de l'Oural avant de devenir indissociable du thé à la russe – se retrouve chez les Iraniens comme chez les Afghans. Assemblée de dames autour d'un samovar, Perse, XIXᵉ siècle (ci-dessus). L'échoppe d'un marchand de thé, Afghanistan, fin XIXᵉ siècle (ci-contre).

que dans les maisons de thé, les *tchaïkhana*, qui peuvent être installées en plein air. Artisans, pèlerins, chameliers, caravaniers, chauffeurs viennent y déguster un thé vert *(tchaï sabz)* aux vertus désaltérantes, ou noir *(tchaï siyah)* s'il convient plutôt de se réchauffer. On le boit volontiers accompagné de beaucoup de sucre en poudre, signe de richesse. Mais des marchands ambulants, équipés de samovars, de réchauds et de belles théières rangées sur des planches en bois proposent aussi du thé brûlant aux voyageurs, le long des routes, parfois à l'abri de larges tentes en peau de yack.

Les *tchaïkhana* sont populaires, joyeuses, et l'on peut y entendre parfois des chanteurs et des musiciens. On y vient discuter, commenter les dernières affaires du village, perdre amicalement son temps après le travail. Les visiteurs se déchaussent avant de s'installer sur des nattes ou de grands tapis colorés. Aux murs, des encadrements de calligraphies persanes côtoient des peintures florales qui rappellent les motifs peints sur la façade de la maison. Ils évoquent le printemps, la fécondité de la terre. Le thé est servi dans des théières rondes en porcelaine de Risner, importées d'Union soviétique. Mais la guerre russo-afghane, en interrompant les importations d'Union soviétique, a fait naître une petite industrie d'imitation : on copie soigneusement le couvercle bleu, la bande rouge ou bleue et les motifs floraux.

«Assise sur une natte et buvant du thé dans des bols en porcelaine, raconte Ella Maillart dans *La Voie cruelle*, nous admirions les montagnes où nous allions pénétrer, puis les champs ambrés qui entouraient le village [...]. Derrière nous, une rangée de théières rondes brillaient doucement dans l'ombre d'une étagère, tandis qu'un garçon éventait le charbon de bois de son samovar.»

Le thé des caravanes s'achemina progressivement vers les rivages méditerranéens et gagna tout l'Empire ottoman, jusqu'en Égypte, plusieurs siècles avant qu'il ne parvienne en Europe occidentale. Aujourd'hui, contrairement à ce que l'on peut imaginer, on consomme en Turquie, petit producteur et même exportateur de thé, plus de cette boisson que de café. Pierre Loti découvrit les plaisirs du thé à la turque dans la fiévreuse Istanbul : dans les foyers, le thé demeure en permanence auprès du feu et on l'allonge d'eau chaude au moment de le servir. Cette pratique est si étroitement liée à la vie domestique que les mères, avant de marier leur fils, tiennent à vérifier la compétence de la future épouse en matière de *demlikaçay* (préparation du thé). Une autre tradition encore vivace dans la région d'Erzurum, voisine de l'Iran : l'hôte ressert spontanément du thé à son invité, tant que celui-ci n'a pas placé sa petite cuillère en travers de son verre. Une tradition perdue dans la plupart des maisons de thé du pays, les *çay-evi*, où l'on boit dans des petits verres de forme arrondie qui se marient bien à la forme de la main et la réchauffent quand elle vient de subir le froid de l'hiver.

Premier pays consommateur d'Afrique et cinquième pays importateur du monde (après

«Les souks ouvrent. L'obscure alcôve qu'est chaque boutique apparaît. Les marchands de thé garnissent plateau sur plateau. Finesse de ces plateaux ciselés et de leur suspension. D'agiles commis se les mettent à l'épaule et les transportent à domicile avec des bols de bouillie. Mais je suis frappé du nombre de consommateurs qui préfèrent se déranger pour se sustenter. L'envie de bavarder compte dans leurs sorties. J'aime ces débits colorés. Le traitant surveille ses grosses bouilloires de cuivre où murmure l'ébullition. D'une main libre, il nettoie les tasses minuscules avec le linge qui sert à tout.» F. Balson, *De Kaboul au golfe Persique*, 1949. Boutique du marchand de thé, Afghanistan sur la route du Sud, entre Kaboul et Banyan, 1968 (ci-contre).

le Royaume-Uni, l'URSS, les États-Unis et le Pakistan), l'Égypte nourrit une véritable passion pour le thé. Une passion qui pèse lourd sur une balance commerciale déjà fort déficitaire, mais que le gouvernement doit pourtant subventionner – au même titre qu'il subventionne le pain, le sucre, et l'huile – pour favoriser l'harmonie sociale. Aussi le thé est partout : dans les foyers, bien sûr, mais également sur tous les lieux de travail, où il serait inconcevable de passer la journée sans en siroter au moins trois ou quatre verres. Ce goût pour le thé est ancien – on en consommait régulièrement à la cour du sultan au XVe siècle – et a atteint les régions les plus reculées du pays : en septembre 1942, le maréchal Rommel s'acquit les faveurs des cheiks de l'oasis de Siwa, perdu en plein désert Libyque, en leur offrant dix mille lires italiennes... et trois kilos de thé. On boit en général un Dust d'Inde ou de Ceylan, assez corsé et très sucré, sans lait. Dans les nombreux cafés des villes et des villages, où il est le plus souvent impossible de se faire servir un soda, le verre de *chaï* non sucré est porté au consommateur sur un petit plateau en fer blanc, accompagné d'un verre d'eau froide, d'un petit verre contenant du sucre en poudre et une cuillère et, très exceptionnellement, d'un troisième verre contenant des feuilles de menthe. Comme dans de nombreux pays, le thé est offert dans les maisons à tout hôte de passage, étranger, parent ou ami. Dans les maisons des fellahs, on le consomme assis sur des nattes à même le sol. L'eau – celle du Nil – chauffe avec le thé dans une théière en métal placée sur un réchaud à pétrole. L'infusion est versée une première fois dans le verre, pour le réchauffer, puis remise dans la théière et reversée aussitôt après.

Contrairement à une idée répandue, la loi islamique n'empêche pas un musulman de boire du thé noir, sous prétexte qu'il serait une boisson fermentée. Et de fait la plupart des pays musulmans, que ce soit l'Égypte, le Pakistan ou l'Arabie Saoudite, importent et consomment du thé noir d'Inde ou de Ceylan. Il semble que les deux principaux importateurs de thé vert dans le monde musulman, le Maroc et l'Afghanistan, le fassent en fonction de leurs traditions particulières et du goût de leurs consommateurs. Au Maroc, l'usage exclusif du thé vert serait lié à la tradition du thé à la menthe. Une tradition récente, puisque née au milieu du XIXe siècle quand les négociants en thé britanniques, voyant le marché slave se fermer à leurs exportations au moment de la guerre de Crimée, se tournèrent vers le Maroc. Les Marocains accueillirent avec plaisir ce thé qui adoucissait l'âcreté de leur habituelle infusion de menthe. Et sans doute préférèrent-ils le thé vert parce qu'il

«Ils furent interrompus par le claquement des pieds nus de la femme sur le sol. Elle apportait un énorme plateau où étaient posés la théière et ses accessoires [...]. Il goûta le verre de thé, le renversa dans la théière, puis s'accroupit. – Ce sera prêt dans une minute.» Paul Bowles, *Un thé sur la montagne*. Thé à la menthe dans une oasis du Sud marocain (ci-dessus). Théière dorée et émaillée, d'inspiration mauresque, qui fut présentée à l'Exposition universelle de 1851 (en vignette). Thé dans une demeure privée, à Fès, au Maroc (ci-contre).

n'en altérait pas trop le goût et n'en modifiait pas la couleur. Le thé est servi dans des petits verres souvent décorés de motifs colorés, présentés sur un plateau rond en argent, en cuivre ou en métal argenté. On le boit assis sur de long tapis frangés. Comme dans de nombreux pays musulmans, le service du thé appartient au domaine des hommes et revient le plus souvent au chef de famille, marquant ainsi sa responsabilité d'époux, de père et d'hôte. L'homme se sert de deux théières différentes et verse trois infusions successives, de la plus légère à la plus forte, en inclinant la théière très haut au-dessus du verre, ce qui fait mousser un peu le liquide. Le thé à la menthe peut être servi à toute heure du jour, accompagné de sucreries, et durant les repas, en général assez lourds et épicés, dont il favorise la digestion. Ne le dit-on pas amer comme la mort, sucré comme la vie et doux comme l'amour ?

L'heure du thé dans les *tchaïkhana* de Kirghizie est un curieux mélange d'indolence orientale et de rigueur soviétique : «Les soirs d'été, la tchaikana est pleine de monde. Les consommateurs sont partout, à l'intérieur et sur la terrasse ouverte aux parois parées d'ornements kirghiz et dont la toiture sculptée est soutenue par de petites colonnes. L'air est imprégné de parfums de rose. Près de la grille se détache nettement, à cette heure du soir, la statue de Lénine dont la face est tournée vers les montagnes.» V. Vitkovitch, *Allons voir la Kirghizie*. Une *tchaïkana* en Kirghizie (ci-dessus). *Tchaïkana* afghane (pages précédentes).

«À LA RUSSE»

La Russie impériale découvrit le thé en 1638, lorsque l'ambassadeur Vassili Starkov rapporta au tsar Michel Fedorovitch soixante-quatre kilos de thé offerts par un prince mongol. Mais si son succès fut immédiat à la cour, il fallut attendre deux siècles pour que son usage soit généralisé dans un pays où régnait la vodka. Jusqu'au XVIIIᵉ siècle, en effet, le thé en provenance de Chine arrivait par caravanes et n'était disponible que dans quelques villes. C'est à Moscou qu'il comptait le plus d'adeptes, au point que les Moscovites furent longtemps surnommés «les buveurs d'eau».

Le tsar Alexandre, dont les bagages contenaient une importante provision de thé quand il entra dans Paris en 1814, fit connaître le «thé à la russe» (en fait un thé chinois légèrement fumé) aux Français. Il conquit rapidement les salons et les cercles parisiens. En 1843, lors de son séjour à Saint-Pétersbourg qui lui permit de rencontrer madame Hanska, Balzac s'empressa d'acheter une grande quantité de ce qu'il considérait comme le meilleur des thés. (Un thé qu'il ne faut pas confondre avec l'invention récente d'un grand *blender* français, le «Goût russe», mélange aromatisé à la bergamote et à différents agrumes, à base de thés d'Inde, de Ceylan et de Chine.)

En ce milieu du XIXᵉ siècle, l'usage du thé se répandit dans tout l'empire, porté de foire en foire jusqu'au moindre des petits villages. Le mot «pourboire» se disait déjà *na tchaî* («pour le thé»). L'invention du samovar, qui devint très vite une véritable institution et fut copié partout dans le monde, fut contemporaine de cette expansion. Large récipient généralement en cuivre ou en bronze (mais il en existe de toutes les matières, de la porcelaine à l'or), le samovar maintient toute la journée une grande quantité d'eau à bonne température, grâce à un conduit d'air chauffé par des braises. Surmonté d'une petite théière remplie de thé concentré, le *tscheinik*, il est muni d'un petit robinet qui permet d'ajouter l'eau au thé directement dans les tasses ou les verres. Les amateurs le laissent en permanence chanter ou «gronder comme la tempête» dans leur salon. De Dostoïevski à Tolstoï ou Gorki, tous les grands écrivains russes ont évoqué le samovar et le climat de chaude intimité qu'il instaure. Même s'il dérange parfois toute la maisonnée, comme s'amuse à l'imaginer Tchekhov dans *Oncle Vania* : «La nuit, le professeur lit et écrit, et soudain vers deux heures du matin, voilà qu'on sonne... Qu'est-ce qui se passe, mes enfants ? Du thé ! Il faut réveiller tout le monde pour lui apporter le samovar...»

De nos jours, dans le

-«Je vais donner quelques détails sur la nourriture habituelle des Russes. Commençons par les boissons. Le riche boit notre champagne vrai [...] ; il boit nos meilleurs crus de Bordeaux, de Bourgogne, il ajoute à ces vins toutes les diverses liqueurs préparées dans le monde. Mais le vin coûtant fort cher en Russie, les petits-bourgeois, les employés et le peuple boivent en mangeant du thé.» Olympe Audouard, *Voyage au pays des Boyards*, 1881. Paysans russes à la table familiale, vers 1900 (ci-dessus).

«Il insistait avec force pour que Veltchaninov [...] avalât d'un trait deux ou trois tasses de thé léger. Il courut réveiller Maura, sans attendre l'autorisation de Veltchaninov, l'aida à faire du feu dans la cuisine délaissée depuis longtemps, et fit bouillir l'eau dans le samovar [...]. Vingt minutes après, le thé était prêt.» Dostoïevski, *L'Éternel Mari*. L'image traditionnelle du samovar dans la cuisine d'une isba, au XIXe siècle (ci-dessus). Service à thé qui aurait appartenu au tsar Nicolas II (ci-contre).

Transsibérien, un samovar est à la disposition des voyageurs, autorisés à apporter leur thé ; et dans toutes les gares, un grand récipient, le *kipjatok*, leur fournit de l'eau chaude moyennant un kopeck. Les Russes boivent du thé noir ou vert, sans lait, et souvent dans des verres munis d'un porte-verre en métal. Ils l'accompagnent volontiers d'un morceau de sucre non raffiné, ou d'une confiture de fruits, qu'ils laissent fondre dans la bouche en l'inondant d'une gorgée de thé fort et amer. «Avec un verre rempli de thé, écrit Pouchkine, un morceau de sucre dans la bouche, l'extase...»

L'Union soviétique est aujourd'hui l'un des principaux producteurs de thé au monde, mais les quantités fournies ne suffisent pas à satisfaire la demande. De plus, la culture intensive et mécanisée pratiquée dans les grandes plaines de Géorgie ne peut fournir aux amateurs qu'une qualité relativement médiocre. Le pays importe donc du thé, principalement d'Inde et de Ceylan, aussi bien pour les classes moyennes des villes que pour la nomenklatura.

Aux bourses aux enchères de Colombo ou de Calcutta, dit-on, les meilleurs crus des «grands seigneurs» sont presque toujours achetés par des importateurs soviétiques, pour lesquels un bon thé n'a pas de prix...

«L'usage du thé en Russie est si général que, dans un seul café-restaurant de Moscou, dont j'aurai l'occasion de parler, on en consomme journellement trente-trois livres, terme moyen, soit neuf cent quatre-vingt-dix livres par mois, ou onze mille huit cent quatre-vingts livres ou demi-kilos par an !» Jacques Boucher de Perthes, *Voyage en Russie*, 1859. Le thé chez Margarita, célèbre café de Moscou, situé dans un parc de la ville et rendez-vous favori de la jeunesse (ci-dessus). Près de Moscou, une collection de samovars du XIXᵉ siècle dans une isba de campagne (ci-contre, en haut). Un samovar en cuivre du début du siècle (en bas).

CHEZ GOETHE

L'Allemagne découvrit le thé, en provenance de Hollande, vers 1640. On le considéra longtemps comme une plante médicinale, plutôt réservée aux femmes, et il était vendu dans les herboristeries, magasins toujours très en vogue outre-Rhin, à l'origine des pharmacies actuelles. Mais il était courant dans la vie quotidienne dès la fin du XVIIIe siècle : en 1772, soixante sortes de thé vert étaient disponibles sur le marché allemand, importées de Chine par les ports de Hambourg et de Brême, sous les auspices d'une Compagnie royale du thé fondée en 1752. Un thé qu'on pouvait boire dans de magnifiques services en porcelaine ornée de dessins à l'or ou à l'argent, sortis des manufactures de Meissen, de Bayreuth ou d'Ansbach.

On prit à cette époque l'habitude de remplacer la soupe du matin par du thé. Puis il devint courant d'en boire trois ou quatre fois par jour. Au milieu du XIXe siècle, on suivit la mode anglaise du punch, d'origine indienne, mélange de rhum, d'eau-de-vie, de sucre, de citron et de thé, même s'il parut sacrilège aux amateurs de noyer du thé dans de l'alcool. Un peu plus tard, le goût des consommateurs s'orienta vers le thé noir, et en 1880, 20% des importations provenaient d'Inde et de Ceylan.

Au XIXe siècle, le thé devint indispensable dans les salons de la bonne société et les milieux artistiques, où la façon de le servir participait même, parfois, du langage amoureux : un peu de mousse à la surface du liqui-

C'est en Allemagne, à Meissen, qu'en 1709 on perça enfin le secret de la fabrication des porcelaines de Chine. Les premiers services à thé créés en Europe s'inspirèrent des modèles chinois. La tasse était, comme en Chine, dépourvue d'anse. La soucoupe qui l'accompagnait était profonde, sans rainure, comme un petit bol ; d'ailleurs on y buvait parfois directement le thé refroidi. *Balthasar Denner et sa famille*, tableau de Jacob Denner, 1737 ; au centre de la table, une fontaine à thé remplaçant la théière (ci-dessus). Tableau de Johan Heinrich Tischbein représentant la fiancée de l'artiste, 1756 ; ici, au premier plan, l'urne d'eau chaude (ci-contre).

de pouvait être la promesse d'un billet doux, voire d'un baiser... «Ils étaient assis autour d'une table et buvaient du thé en parlant d'amour», écrivit le poète Heinrich Heine. Pour Goethe, il était en tout cas la meilleure occasion d'inviter ses amis. Son secrétaire, Eckermann, nota en octobre 1823, dans ce qui allait devenir ses *Entretiens* : «Ce soir j'ai été invité à un thé chez Goethe. L'assistance me plut beaucoup, naturelle et détendue ; les uns étaient assis, d'autres debout, on plaisantait, on riait. Goethe allait de l'un à l'autre et il semblait éprouver plus de plaisir à laisser parler ses amis et à les écouter qu'à dire quelque chose lui-même. Madame de Goethe entra plusieurs fois, elle l'enlaçait et l'embrassait.» Goethe venait en effet d'épouser sa concubine, Christiane Vulpius, mère de son fils illégitime, August. Les dames fort strictes de la Société de Weimar hésitaient à la recevoir. Ce fut made-

moiselle de Göchlausen qui trancha : «Si Goethe lui a donné son nom, nous pouvons bien lui donner une tasse de thé !»

C'est à la pâtisserie Stehelysh, rendez-vous littéraire et artistique de Berlin, qu'Heinrich Heine écrivit son célèbre poème sur le thé. Peintres, écrivains, acteurs et diplomates se retrouvaient autour d'une tasse de thé en compagnie de Rahel Varnhagen, «l'enfant chérie» de Goethe, et de Henriette Herz, qu'on disait être la plus jolie femme de Berlin. Le romancier Théodore Fontane était un habitué. On y aperçut parfois le prince Louis Ferdinand et sa charmante Pauline Wiesel.

À la fin du XIXe siècle, en pleine époque de japonisme et de *Jugendstil*, le thé fut préféré au café par une jeunesse sensible, sentimentale, qui le trouvait plus adapté à ce léger vague à l'âme caractéristique du temps. Dans les années vingt en revanche, la nouvelle géné-

Le goût des «chinoiseries », qui dès le XVIIe siècle toucha l'Europe entière, se traduisit aussi dans l'art des jardins. Les parcs s'ornèrent de temples à clochetons, de pagodes. Et de maisons de thé. Celles-ci n'avaient qu'un lointain rapport avec leurs modèles chinois mais l'idée était exotique et l'on y buvait du thé de Chine. C'est à Potsdam que subsiste l'un des plus beaux exemples de ces maisons de thé dans le parc du château de Sans Soucis construit au XVIIIe siècle par Frédéric II de Prusse (ci-dessus). Les ornements de la façade et les sculptures de ce ravissant pavillon évoquent le décor d'un Orient de fantaisie (ci-contre). Théière de porcelaine à décor doré, manufacture de Meissen, vers 1725 (en vignette).

ration s'enflamma pour la Russie des Soviets : c'est en buvant du «thé russe» qu'elle passa des nuits à refaire le monde. Quelques années plus tard, l'Allemagne, comme toute l'Europe, connut la mode des «thés dansants». Les grands hôtels transformèrent leur bar en dancing, où toutes les générations venaient se mêler sur la piste, entre deux tasses de thé. En ces années-là, quelques expressions argotiques virent le jour, telles que «laisser infuser le thé», équivalent de notre «laisse tomber», ou «bouilloire à thé» pour «empoté».

Aujourd'hui, on consomme en Allemagne deux ou trois fois plus de thé qu'en France. Les négociants de Hambourg, particulièrement dynamiques et héritiers d'une longue tradition historique, contrôlent une grande part du mar-ché mondial du thé et ont supplanté Londres du point de vue de la qualité. L'Allemagne compte toujours, d'ailleurs, des habitants qui consomment autant de thé que les Anglais : ceux de la Frise orientale, voisins des Pays-Bas, qui furent les premiers Allemands à connaître le thé. Arrosé de rhum, à base d'un mélange très corsé d'Assam et de Java, il devint très tôt la boisson préférée des pêcheurs, le long de la côte qui s'étend entre les embouchures de la Weser et de l'Ems. Même si ce robuste cocktail a pratiquement disparu, les habitants de la Frise orientale ont gardé cette passion du thé, entretenue à toutes les heures du jour et pendant les repas. Un peu de crème fraîche est parfois ajoutée à l'infusion. L'été au grand plaisir des enfants, on le boit glacé.

«À l'heure du thé et après le dîner, nous nous tenons le plus souvent dans le salon bleu, à écouter de la musique. On entend des morceaux douceâtres composés pour le thé […]. Hier soir, il y a eu cinéma. On est assis en smoking dans son fauteuil, on prend son thé à sa petite table dorée. On était on ne peut plus mal dans son vêtement de soirée et le thé, en particulier, provoquait un véritable bain de sueur.» Thomas Mann, *Traversée avec Don Quichotte*. Recueil de partitions musicales pour thés dansants, 1935 (ci-dessus). *La Visite du célibataire*, lithographie de Koch, 1880 (ci-contre, en haut) ; gravure de 1902 légendée «À l'heure du thé on doit prendre les femmes pour ce qu'elles sont», d'après une aquarelle d'Oscar Bluhm (en bas).

Scènes de «thés hollandais» où l'on voit que la bouilloire – jugée inélégante et malcommode dans les autres pays européens – était aux Pays-Bas très prisée. Décor élégant orné de faïences de Delft pour salon de thé, pièce réservée à cet usage dans les maisons hollandaises dès le XVIIe siècle. Au XVIIIe siècle, époque de ce tableau de Nicolas Muys (ci-contre), se gorger de thé était devenu une habitude en Hollande et Montesquieu fut médusé de voir une maîtresse de maison boire trente tasses en un seul service ! Montesquieu, *Voyage en Hollande*. Famille hollandaise à l'heure du thé, photo de Carl Rensing, vers 1850 (pages suivantes).

TEA TIME

Les Anglais ont fait du thé bien plus qu'une tradition : un véritable art de vivre. Chaque Britannique boit ainsi la moyenne de six tasses de thé par jour... Dans la Grande-Bretagne des XVIIᵉ et XVIIIᵉ siècles, le thé fut une révolution au même titre que l'industrie. Signe de bon goût, source de convivialité, il devint rapidement indispensable dans tous les milieux et modifia sensiblement le mode de vie de femmes et d'hommes à l'emploi du temps désormais rythmé par le *tea time*. Un art aristocratique aussi bien que populaire, très codifié, qui a pu atteindre l'extrême sophistication dans les grandes familles. Nulle part au monde, sans doute, une boisson n'a su si aimablement régenter la journée d'un

La tasse à anse ne se popularisa qu'à la fin du XVIIIᵉ siècle. L'idée de cette anse aurait été inspirée par les chopes dans lesquelles les Anglais buvaient la bière et le vin chauds. En se libérant des références chinoises, les services à thé européens évoluèrent vers une multiplicité de formes. Les manufactures britanniques rivalisaient d'ingéniosité : il exista même des *moustache cups*, tasses qui – pourvues d'un rebord intérieur – évitaient aux élégants de mouiller leur moustache. Scène de thé, Angleterre, vers 1740 (ci-dessus). *A Gentleman at Breakfast*, vers 1775, attribué à Henry Walton (ci-contre).

peuple. Le meilleur symbole en est peut-être cet *early morning tea* qu'on boit dès l'œil ouvert, souvent dans son lit, avant même la toilette et l'habillement, initiant ainsi la journée sous le signe du thé. Cecil Roth raconte : «J'ai été récemment l'hôte du baron Alfred de Rothschild dans son palais de Seamore Place. Le matin, de bonne heure, un serviteur en livrée entra dans ma chambre en poussant une énorme table roulante et me demanda : "Désirez-vous du thé ou une pêche, Sir ?" Je choisis le thé et aussitôt, la deuxième question : "Chine, Indes ou Ceylan, Sir ?" Je me décidai pour le thé des Indes et il s'enquit : "Avec du citron, de la crème ou du lait, Sir ?" J'optai

pour le lait mais il voulut savoir de quelle race devait être la vache : "Jersey, Herford ou Sorthorn, Sir ?" Jamais je n'ai bu d'aussi bon thé.» Bien entendu cet *early morning tea* est suivi du *breakfast*, où l'on boit à nouveau du thé, cette fois accompagné de porridge, d'œufs au bacon ou brouillés et souvent de poisson. Cet *English breakfast* n'a rien à voir avec notre *continental breakfast*, qui n'est que sucré.

C'est en 1657, sous Cromwell, qu'eut lieu la première vente publique de thé en Angleterre. Le négociant, Thomas Garraway, en vantait les nombreuses propriétés médicinales. Il fut rapidement adopté par la meilleure société londonienne. Les femmes, surtout, se

Au *five o'clock tea*, servi sur une table basse avec une collation de sandwichs légers et de pâtisseries fines s'oppose le *high tea*, solide collation populaire servie à la table familiale et constituant, au retour des champs ou de l'usine, le principal repas de la journée. *The Breakfast Table*, image réalisée en 1840 par William Henry Fox Talbot ; il s'agit de la première représentation photographique d'un thé à l'anglaise (ci-dessus). *Reading the News* (1874), tableau de James Tissot, peintre français qui vécut à Londres et a souvent pris la table de thé pour sujet (ci-contre).

retiraient au salon après les repas pour en boire, tandis que les hommes restaient à table et prenaient un porto. Grâce à la vogue des *coffee houses* où il était distribué, le thé atteignit rapidement aussi les milieux populaires. En 1660, Samuel Pepys put écrire dans son journal : «Bu pour la première fois une tasse d'un liquide chinois, du thé.» Le spectaculaire essor du thé en Angleterre est lié à celui des *coffee houses*, dont la première fut ouverte en 1652, à Londres. La capitale n'en comptait pas moins de cinq cents un demi-siècle plus tard. Ces établissements, où chacun pouvait consommer du thé, du café, de l'eau-de-vie ou du rhum, déguster toutes sortes de friandises, lire les journaux de l'île ou du continent, se réunir et bavarder librement, furent sans conteste les centres de la vie sociale anglaise aux XVIIe et XVIIIe siècles. Il semble bien que ce soit là que naquit la version occidentale du pourboire : les clients y avaient la possibilité de jeter une pièce dans une boîte marquée des lettres T.I.P., initiales de *To insure promptness* (pour un service rapide).

Bien qu'en Angleterre le climat soit des plus imprévisibles, le thé en plein air y fut toujours un passe-temps très apprécié. À la belle saison, certains événements sont d'ailleurs étroitement associés à cette idée du thé sur l'herbe. Et les *garden-parties* du palais de Buckingham, les régates de Henley, les matches de cricket ou les fêtes au village sont toujours l'occasion de déguster du thé, des sandwichs et des pâtisseries sous les grandes tentes dressées à cet effet. Ladies dans un jardin, Loughton, 1908 (ci-dessus). Thé sur l'herbe, photographie de Mortimer, vers 1900 (ci-contre).

En 1706, le jeune commis d'un marchand de thé, Thomas Twining, fonda la première *coffee house* spécialisée dans ce produit : Tom's Coffee House. Il créait ainsi ce qui allait devenir l'une des plus célèbres maisons de thé du monde. Twining, on l'a vu, ouvrit onze ans plus tard une boutique de thé, The Golden Lyon, où les dames – non admises dans les *coffee houses* – purent venir acheter ou boire leur thé. Durant le XVIIIᵉ siècle, l'essor de la

consommation fut considérable : on buvait quinze fois plus de thé à la fin du siècle qu'au début. Et la consommation doubla durant les quinze dernières années, qui virent le rite domestique du thé, déjà adopté dans les familles de la haute société, se répandre parmi les classes moyennes et finalement les milieux populaires. Une expansion rapide, liée à une détaxation massive du thé décidée en 1783 par Pitt pour lutter contre un marché noir de

Les enfants des bonnes familles edwardiennes étaient, comme leurs parents, très attachés au rituel du thé qu'ils associaient au goût des friandises et à l'atmosphère sécurisante de la nursery. Les jeunes héros de *Peter Pan* (célèbre roman de J. M. Barrie paru en 1904) témoignent que les petits Britanniques pouvaient même préférer l'heure du thé à l'univers merveilleux de l'Île enchantée : «Veux-tu vivre une aventure tout de suite, demanda Peter Pan, ou préfères-tu prendre le thé ? – Le thé d'abord, dit vivement Wendy.» *A Cheerful Giver*, Fred Morgan, vers 1900 (ci-dessus).

mieux en mieux organisé (à cette date, le thé occupait plus de quarante mille personnes et trois cent vingt bateaux !).

Déjà, au cours de la seconde moitié du siècle, la vogue du thé avait entraîné la création des *tea gardens*. Alors que l'Angleterre renouvelait l'art de ses jardins, abandonnant le formalisme français pour célébrer la nature sous toutes ses formes les plus romantiques, les Londoniens, toutes classes confondues, allaient se promener dans les jardins raffinés du Ranelagh, de Marylebone ou de Vauxhall. Dans des décors à la Gainsborough où le baroque le disputait à l'antique, à l'ombre d'un temple rococo ou d'une colonne brisée, assis dans l'herbe ou autour d'un guéridon et parfois au son d'un orchestre, ils y dégustaient une bonne tasse de thé, accompagnée de pain, de beurre, de cakes, voire de ces petits mets variés disposés entre deux fines tranches de pain de mie, inventés à cette époque par l'astucieux Lord John Sandwich.

Durant l'époque victorienne, le *lunch*, repas de midi qui permettait aux hommes de se retrouver dans l'intimité du club et aux femmes dans celle de la maison, prit une grande importance et transforma peu à peu les horaires des repas. Le dîner de dix-sept ou dix-neuf heures fut reculé d'une heure ou deux, et le souper de vingt-deux heures supprimé. C'est en 1840 qu'Anna, septième duchesse de Bedford, en inventant l'*afternoon tea*, pris *at home* à seize heures (depuis le début du XXe siècle on le prend plutôt vers dix-sept heures), trouva le moyen de combler l'inévitable petit creux survenant entre le *lunch* et le *dinner*. Il se répandit rapidement dans les couches les plus aisées de la société, provoqua le déclin des *tea gardens*... et devint l'un des piliers essentiels de l'art de vivre britannique.

Pris l'hiver au salon *(drawing room)* devant un feu de cheminée, l'été à l'ombre d'un arbre dans le jardin, l'*afternoon tea* conjugua bien vite bon goût, raffinement et sociabilité selon des règles strictes. Il convenait d'abord de

s'habiller élégamment, mais aussi confortablement, et des *tea gowns*, robes plus amples et légères, plus sobres, moins ajustées à la taille, furent créées pour l'occasion à partir des années 1880. Il convenait ensuite de disposer d'une belle nappe et d'un service à thé complet en porcelaine de Chine ou en argent, comprenant une théière, un pot à lait, un sucrier, quelques *tea caddies* (boîtes à thé) très hermétiques, douze tasses, douze soucoupes, autant de petites assiettes et de *caddie spoons* (cuillères à thé). Il convenait,

«[Elle ressemblait] de plus en plus aux deux sœurs célibataires de son mari, qui venaient la voir, de l'avis de Kate, beaucoup trop souvent et trop longuement, en empiétant sur leur part de thé et de tartines beurrées – choses dont Kate, qui ne se désintéressait pas des notes des fournisseurs, s'inquiétait [...]. Elles harcelaient la veuve de leur frère, la faisant – en buvant d'interminables tasses de thé – bavarder.» , Henry James, *Les Ailes de la Colombe. And we'll all have tea*, affiche diffusée en 1930 par l'Empire Marketing Board (ci-dessus).

enfin et surtout, que la maîtresse de maison sache préparer l'infusion, et le véritable petit repas qui l'accompagnait, à la perfection. Naturellement, il était de bon ton de faire servir le tout par un domestique ou, mieux encore, par la jeune fille de la maison qui montrait, par son savoir-faire et sa délicatesse, à quel point elle était digne d'entrer dans le monde. Elle devait par exemple verser le lait dans la tasse avant même l'infusion d'Indes ou de Ceylan, seuls thés admis dans les bonnes maisons.

Les buffets accompagnant l'*afternoon tea* furent dès cette époque, et pour toujours, codifiés. Désormais il n'y aurait point de salut en dehors des petits sandwichs au concombre, à la tomate, aux œufs durs et au cresson, des toasts beurrés à la cannelle, des biscuits aux amandes, des *scones*, des confitures (essentiellement à la fraise), des différents cakes et des *sponge cakes* (genre de biscuit de Savoie très léger). Bientôt on servit aussi un *cream tea*, le thé étant accompagné de *clotted cream*, crème fraîche cuite longuement. Les enfants, à qui l'on servait le thé dans la nursery aux époques victorienne et edwardienne, eurent droit particulièrement aux sandwichs à la sardine, au chocolat ou à la banane, aux muffins, aux *crumpets* grillés accompagnés de confitures et

de gelées, et à toutes sortes de cakes, salés ou sucrés. Les poupées des petites filles étaient autorisées à s'asseoir autour d'un service miniature...

À la campagne, l'*afternoon tea*, pris à l'heure où l'on revient des travaux des champs, devint le principal repas de la journée. Dans beaucoup de chaumières et de fermes, où l'hospitalité était de mise, il n'était pas rare de voir, suspendue au-dessus de la porte d'entrée, une enseigne invitant le voyageur, ou même le vagabond, à prendre une tasse de thé accompagnée de *scones*, de *buns* ou d'une tourte au bacon «faits maison».

Des traditions s'établirent aux quatre coins du royaume, comme celles de la *clotted cream* du Devon, des œufs et du confit dans l'Ouest, des gâteaux aux pommes et des cakes dans le Dorset. En Cornouailles, l'usage du sucre fut banni dès le jour où un pasteur méthodiste, John Wesley, recommanda de s'en abstenir pour ne pas encourager l'esclavage aux Antilles.

Dans les maisons de campagne, «élégantes et courtoises» dit Jane Austen, l'*afternoon tea* fut offert selon les saisons dans le petit salon, sous la véranda ou sous une tonnelle dans le jardin. On commença à boire son thé dans des porcelaines de Stafford, au cours d'interminables

Trois interprétations britanniques de l'heure du thé : l'austère rituel gallois (ci-dessus) ; un décor de Mackintosh pour le salon de thé récemment restauré créé à Glasgow par Miss Cranston, militante d'une ligue antialcoolique (ci-contre, en haut) ; un salon de thé comblant les aspirations bucoliques des Londoniens ; cette *tea house at College Farm* est en effet située au nord de Londres, sur le domaine préservé d'une petite ferme (en bas).

parties de bridge ou entre deux matches de cricket, de croquet ou de tennis. Le thé glacé accompagné de sandwichs légers fut très vite à l'honneur au plus chaud de l'été.

Dans les milieux populaires et les classes moyennes des villes, le thé de quatre heures devint également bien plus qu'un interlude raffiné, un véritable repas où se servaient de solides sandwichs à la viande, au hareng, au pâté ou au fromage. S'il leur était difficile de prendre le thé chez eux, les petits-bourgeois de Londres se rendaient dans les *tea houses*, dont la première l'A.B.C. (Aerated Bread Company), connut un succès foudroyant dès son ouverture en 1864. Elles prirent le relais des *tea gardens* et les femmes pouvaient y entrer seules.

La reine Victoria n'y trouvait rien à redire, qui instaura officiellement le rite du *tea time* à Buckingham. Adolescente, Victoria avait dû subir l'autorité quelque peu maniaque de sa gouvernante, la duchesse de Northumberland, persuadée de la nature diabolique de deux acti-

Le thé, considéré depuis le XIXᵉ siècle comme un facteur essentiel du bien-être quotidien, fut traditionnellement associé en Angleterre à l'actualité sociale. En 1946, tandis que les promesses gouvernementales laissent espérer une amélioration du niveau de vie, les usagers du chemin de fer virent apparaître dans les gares des chariots de thé ultra-modernes (ci-dessus). En 1935, dans un comté du pays de Galles où certaines villes comptaient près de quatre-vingt-dix pour cent de chômeurs, on célébra l'événement en offrant aux enfants un thé, survivance des *tea moralities* de l'ère victorienne (ci-contre).

«Quelle marque de thé achetez-vous ? lui demanda Wyatt. Je ne m'y connais pas du tout là-dessus. J'ai demandé à Abdul d'en acheter. Cette jolie fille accepterait peut-être un jour d'entrer chez moi prendre une tasse de thé ? Il faut bien la distraire un peu. Elle doit s'ennuyer terriblement toute seule.» Agatha Christie, *The Sittaford Mystery*. Scène de la vie quotidienne à Londres, en 1949 (ci-dessus). *Afternoon tea* dans un café de Torquay, station touristique du sud de l'Angleterre, 1954 (ci-contre).

vités à la mode : la lecture du *Times* et la consommation de thé. Victoria se soumit respectueusement jusqu'en 1838, année de son couronnement. Juste après la cérémonie, la jeune reine inspira profondément, puis réclama le dernier *Times* et une tasse de thé. Des serviteurs en livrée s'exécutèrent sur-le-champ. «Je sais maintenant que je règne vraiment», aurait-elle déclaré. Le thé demeura pour toujours la boisson préférée de la reine... avec le whisky.

Tout au long de son règne, qui dura soixante-quatre ans, Victoria encouragea les *Tea-Moralities*, organisées par les ligues de charité pour secourir les plus miséreux, chômeurs, sans-abri, prostituées, autour d'une tasse de thé bien chaud. Ce réconfort des réconforts, sous l'égide de Dieu et de l'ordre victorien, se voulait aussi une incitation à la consommation de thé dans ces milieux décimés par l'alcoolisme. Charles Dickens se fit l'observateur le plus

cinglant de cette misère londonienne, non sans gravité, humour et tendresse, évoquant la mélancolie joyeuse de la période de Noël, si chère aux Britanniques : «Quel parfum, écrit-il dans l'un de ses *Contes de Noël*, s'exhalait de leur thé et de leur café, de leurs raisins secs, de leurs amandes blanches, de leurs clous de girofles et de leurs fruits confits saupoudrés de sucre, de leurs figues, de leurs pruneaux et de leurs bonbons si curieusement décorés pour Noël !» Une autre tradition naquit en ces temps de révolution industrielle : celle de la pause, de la coupure au milieu de la matinée et de l'après-midi, qui permettait aux ouvriers et aux employés de boire une tasse de thé et de manger un peu. Mais il fallut l'apparition des syndicats, les *People Unions*, pour établir définitivement, vers 1820, une habitude énergiquement combattue par les employeurs au nom de la productivité.

Chaque après-midi, le roi George VI, son épouse Elizabeth et les deux jeunes princesses se retrouvaient autour d'une tasse de thé accompagnée de sandwichs au cresson, de gênoises au kirsch ou d'éclairs au café. De nos jours, à dix-sept heures précises, l'actuelle souveraine – Elizabeth II – cesse toute activité pour rejoindre ses appartements. C'est le *tea time* : le thé est de chez Twining, la porcelaine de Worcester et la reine profite de ces précieux instants pour rencontrer ses enfants ou s'occuper de ses chiens. Le prince de Galles dégustant un thé camerounais... bien qu'il ait la réputation de ne jamais boire de thé (ci-dessus). Tableau de Sir James Gunn représentant, en 1950, la famille royale d'Angleterre prenant le thé au château de Windsor (ci-contre).

Cette coutume de la pause, comme bien d'autres concernant le thé, sont aujourd'hui en déclin en Grande-Bretagne. Les horaires de bureau, les nouvelles technologies, le large accès des femmes à la vie du travail en même temps que de nouvelles règles diététiques ont considérablement entamé les rituels du *five o'clock tea*. À l'heure des distributeurs auto- matiques de boissons, la pause a souvent été remplacée par l'absorption rapide d'une infu- sion médiocre sur un coin de bureau, et ce à n'importe quelle heure du jour. La tradition du *high tea*, véritable repas du soir où l'on accompagne un thé corsé de viandes froides, d'œufs brouillés ou au bacon, de salades, de cakes et de fruits, ne se maintient plus guère

À Londres, c'est dans les salons des grands hôtels que le rituel de l'*afternoon tea* est le plus accompli et le plus appétissant. Pour preuve, la carte proposée, à dix-sept heures, par le Brown's : outre une excellente sélection de thés – parmi lesquels un *blend* exclu- sif et du thé vert – on y trouve une variété de petits sandwichs, des toasts et des confi- tures, des *scones* accompagnés de *clotted cream*, des cakes et pâtisseries maison. Thé dans une suite du Claridge (ci-dessus). Le service à thé du Brown's, et cartes des menus de l'*afternoon tea* servi au Waldorf, au Ritz, au Savoy et au Brown's, photographiés sur une page de dessins de porcelaines anglaises Minton, datant du XVIIIe siècle (ci-contre).

AFTERNOON TEA
AT THE SAVOY

The Waldorf

The Ritz
PICCADILLY LONDON

Palm Court Menu

Michael Twomey
Palm Court Manager

Nº 66

Brown's Hotel

Nº 65

Nº 14

que dans les campagnes du nord du pays et en Écosse. Et si l'on veut sacrifier au rituel intégral de l'*afternoon tea*, c'est – à moins d'être invité par la reine ou une famille de la *gentry* – dans les salons des grands hôtels qu'il convient de se rendre. La cérémonie a bien lieu chaque jour au Waldorf, au Ritz, au Savoy ou au Brown's. Au Palm Court du Ritz, par exemple, dans un luxueux décor où se mêlent Louis XVI et Art déco, une lumière savamment tamisée donne aux consommateurs l'agréable sensation d'être coupés du monde, loin de l'agitation de Piccadilly. Des palmiers, une fontaine rehaussée de sirènes et de tritons contemplée par une nymphe alanguie ajoutent encore à l'irréalité du décor. Sur des tables de marbre, un personnel stylé sert le Darjeeling ou l'Earl Grey, dans des services de porcelaine chinoise, à des consommateurs vêtus pour l'occasion. Ils auront droit à des variétés immuables de *finger sandwiches* (les tranches de pain mesurent précisément un *inch* de largeur), préparés par un «sandwich chef» réputé : ceux au pain noir sont au concombre, à la crème de fromage et au saumon fumé ; ceux au pain blanc sont au jambon fumé, aux œufs mayonnaise avec moutarde et cresson, et enfin au *cheddar*. Puis viendront les délicieux *scones* tout frais accompagnés de crème et de confiture de fraises, enfin les cakes et les petits fours.

Mais l'*afternoon tea*, même si son rite et sa nature se sont sensiblement simplifiés, demeure un moment privilégié et souvent indispensable pour les Britanniques. L'Angleterre d'aujourd'hui donne toujours raison à Paul Morand, qui écrivait dans *Le Nouveau Londres* : «Dire, vers cinq heures du soir : "Je n'ai pas encore eu mon thé", bouleverse toute une maison ; pour un peu, des inconnus vous offriraient *a nice cup of tea*, de Ceylan, bien entendu, bien que, depuis l'indépendance de cette île, on en cultive aussi bien en Argentine que dans les Açores.»

«La tasse de thé en arrivant dans une maison de campagne est en général une chose que je savoure particulièrement. J'aime les bûches rougeoyantes, les lumières tamisées, l'odeur des toasts beurrés, l'atmosphère générale de nonchalance confortable.» P. G. Wodehouse, *The Code of the Woosters*. Service à thé en argent, pièces d'orfèvrerie écossaises (ci-dessus). Dans un manoir traditionnel, en Écosse, table dressée pour l'*afternoon tea* (ci-contre).

DE LA «BOSTON TEA PARTY» AU THÉ GLACÉ

Comme on l'imagine, la tradition du *tea time* s'est naturellement perpétuée chez les Anglais émigrés outre-Atlantique. Le thé fut introduit en Amérique du Nord dès le XVIIe siècle par des navires hollandais et se répandit au cours du siècle suivant, surtout parmi les élites adeptes de *tea parties*. Autour d'une théière en argent et d'un service en porcelaine, celles-ci, symboles de la réussite sociale, réunissaient les familles les plus huppées de Philadelphie ou de Boston. Mais bientôt le thé fut consommé dans les milieux moins favorisés et devint partout un signe de politesse et d'hospitalité. À New York, l'eau de la pompe de Chaham Street était considérée comme la meilleure pour faire le thé. Des cochers, les *tea water men*, la distribuaient à grands cris dans les rues de la ville. Au début du XVIIIe siècle, les puritains aimaient boire le thé amer, avec du beurre et du sel. Mais la plupart des habitants de la Nouvelle-Angleterre appréciaient le thé vert de Chine, parfumé de safran, de racine d'iris ou de pétales de gardénia. Ces habitudes disparurent au fil des décennies, mais on continua à boire du thé : à la fin du XVIIIe siècle, le tiers de la population en consommait deux fois par jour.

Vers 1760, le thé prit la troisième place, après les textiles et les biens manufacturés, parmi les produits d'importation dans la colonie. L'Angleterre, en proie à une grave crise financière entraînée par la guerre de Sept Ans, en profita pour taxer lourdement le produit. Dans tout le pays, le thé fut dès lors le prétex-

Deux ans après la *Boston Tea Party*, c'est un orfèvre – réputé pour ses théières – qui orienta l'issue de la bataille de Lexington, première escarmouche entre les Anglais et les Américains. Dans la nuit du 18 avril 1775, cet artisan – du nom de Paul Revere – grimpa au sommet de la plus haute église de Boston pour avertir les patriotes, par signal lumineux, de l'arrivée des troupes anglaises. Dès lors, Revere reconsidéra le style de ses théières. Abandonnant le rococo qui caractérisait sa production, il inventa la «théière patriotique» : de style sobre, pur, néo-classique, elle symbolisait les vertus républicaines. Ci-dessus, *the Samels Family*, œuvre de Johann Eckstein (1736-1817). Portrait de Paul Revere par John Singleton Copley (ci-contre).

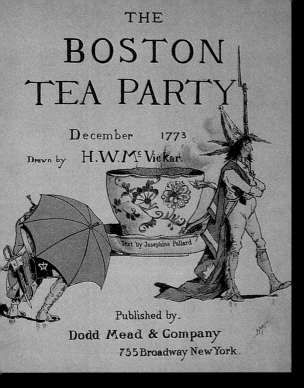

THE BOSTON TEA PARTY

December 1773

Drawn by H.W.Mc Vickar.

Text by Josephine Pollard

Published by

Dodd Mead & Company

755 Broadway New York.

AND A MEETING WAS HELD, WHERE THE PROCLAMATION WAS READ, THAT HAD CAUSED ALL THIS PERTURBATION.

A SCORE OR MORE MEN ON A NIGHT IN DECEMBER, WENT FORTH TO A DEED THE WORLD WOULD REMEMBER.

HE WAS READY TO BURST WITH RAGE NO DOUBT, WHEN THE CLERK IN A LOUD VOICE READ ABOUT

te à de virulentes campagnes nationalistes, prônant son interdiction. Aussitôt décidée par une East India Company affolée, une diminution des taxes ne suffit pas à calmer les esprits. Le 16 décembre 1773, les patriotes de la loge maçonnique de Saint-André à Boston, déguisés en Indiens Mohawk, parvinrent à monter à bord de trois navires de la Compagnie et à jeter par-dessus bord trois cent quarante-deux caisses de thé. L'événement, ironiquement appelé *Boston Tea Party*, donna lieu à des représailles anglaises, qui déclenchèrent elles-mêmes d'autres *tea parties* du même genre, pour aboutir enfin, après la bataille de Bunker Hill, à la révolution et à la Déclaration d'indépendance de 1776… Le thé venait de transformer le monde.

Dès la fin du XVIIIe siècle, la jeune flotte américaine reprit le commerce du thé en allant s'approvisionner directement à la source, en Chine. La progression des importations de thé fut alors spectaculaire : environ six cents tonnes importées en 1790, dix fois plus en 1825. En Nouvelle-Angleterre, de nombreuses fortunes s'établirent sur ce commerce, qui allèrent par la suite s'investir dans les filatures de coton. Face au flux de nouveaux immigrants venus de toute l'Europe et d'Asie, on tint, dans ces milieux fortunés de la Nouvelle-Angleterre, à préserver le meilleur des traditions anglaises. Le thé, aussi bien que la chasse, devint souvent un rite social destiné à marquer son appartenance à une classe privilégiée. En même temps, le thé s'installa dans

Au lendemain de la *Boston Tea Party*, John Adams – qui avait participé aux événements – notait dans son journal : «C'est le plus beau de tous les mouvements populaires [...]. Cette destruction du thé est si audacieuse, si ferme, intrépide, inflexible et de conséquences si graves que je ne peux m'empêcher de la considérer comme un tournant de l'Histoire.» Extrait d'un album commémoratif, New York, 1882 (ci-dessus et ci-contre). Timbre édité pour le bicentenaire de la *Boston Tea Party* (en vignette).

les grandes familles de planteurs du Sud et en pleine guerre de Sécession, des «forceurs de blocus» approvisionnèrent les vastes demeures de Louisiane d'un thé obtenu à prix d'or. Au début du XXᵉ siècle, un certain Thomas Sullivan, marchand de thé à New York, eut l'idée de confectionner des petits sachets de soie remplis d'une dose de thé. Le succès de cette invention, qui allait boulverser l'art de préparer le thé – mais surtout, hélas, conduire à produire des thés de qualité médiocre, mieux aptes à être broyés et conditionnés en sachets – fut rapide et définitif. À la même époque, en 1904, le négociant Richard Blechynden se rendit à l'Exposition universelle de Saint Louis pour présenter aux Américains, qui ne le connaissaient pas encore, le thé noir des Indes. Mais l'été était particulièrement torride et les visiteurs ne se pressaient pas devant son stand pour boire un thé noir brûlant. Richard Blechynden lui-même, assoiffé,

hésitait à en prendre. C'est alors qu'il mit deux glaçons dans un verre et y versa son thé noir. Le thé glacé était né, qui rafraîchit plus d'un curieux lors de l'Exposition universelle et se répandit bientôt dans tout le sud de la confédération.

On boit toujours beaucoup de thé glacé aux États-Unis, sucré et citronné, parfois accompagné de rhum. Cette habitude a fait naître et prospérer une industrie de l'*instant tea*, poudre de thé lyophilisé qui se dissout dans l'eau froide. Les véritables amateurs de thé ne l'apprécient guère... On le consomme de plus en plus, aujourd'hui, déjà prêt et conditionné dans des cannettes. L'«esprit du thé» en est certes quelque peu altéré, mais sans ces nouvelles formules, les États-Unis pays où l'on boit aujourd'hui cinq fois plus de café que de boissons à base de *Camellia sinensis*, ne seraient certainement pas le troisième pays importateur de thé au monde...

«Ranimez le feu dans la bibliothèque et apportez-y le thé. [...] Après avoir mis en ordre ses cheveux bruns devant la glace, elle enfila un déshabillé en velours et dentelle qui l'attendait sur le canapé. Elle avait été une des premières femmes de New York à prendre le thé chaque après-midi à cinq heures et à changer sa robe à cette occasion pour une tenue d'intérieur.» Edith Wharton, *Jour de l'An*. Publicité américaine (ci-dessus). *Tea Leaves*, œuvre du peintre américain W. Paxton datée de 1909 et illustrant une pratique qui consiste à lire l'avenir dans les feuilles de thé (ci-contre). L'heure du thé en Nouvelle-Angleterre, vers 1900 (pages précédentes).

L'ART FRANÇAIS DU THÉ

Déjà apprécié dans quelques petits cénacles parisiens à la fin des années 1630, la plus exotique des boissons fit son entrée à la cour dès l'arrivée de Mazarin qui, on le sait, en buvait pour combattre sa goutte. Comme dans la plupart des autres pays, c'est bien sûr en tant que potion médicinale que le thé fit ses premiers adeptes. Dans la seconde moitié du XVIIe siècle, de savants ouvrages abondèrent pour vanter ses mérites, souvent controversés, et les comparer à ceux de deux autres produits nouveaux : le café et le chocolat. Dans la France de ce temps-là, la médecine et l'art du thé étaient loin d'avoir atteint le même degré que dans la civilisation chinoise et, en 1692, un certain François Massialot put encore conseiller de «fumer du thé en manière de tabac, après avoir humecté légèrement les feuilles avec une gorgée d'eau-de-vie jetée dessus en manière de rosée ; et le sédiment ou cendre qui restera au fond de la pipe est merveilleux pour blanchir les dents...»

La mode est à l'exotisme. Et lorsqu'en 1700 l'*Amphitrite*, premier vaisseau français à partir pour la Chine, débarque sa coûteuse cargaison, les précieuses les plus argentées se procurent soies, paravents, laques, porcelaines, rhubarbe, camphre et bien sûr aussi du thé. L'infusion de cette plante chinoise se répand ainsi dans la meilleure société sous le règne de Louis XIV, comme un plaisir léger, convivial, et non superflu chez les bien-portants. Mais les salons parisiens se divisent encore entre détracteurs et thuriféraires, et la boisson devient un excellent sujet de conver-

C'est en France que serait née l'habitude d'ajouter du lait au thé, cette mode ayant été introduite par Madame de la Sablière comme le raconte madame de Sévigné : «Madame de la Sablière prenait son thé avec du lait, elle me le disait l'autre jour, c'était son goût.» En réalité cet usage a une explication pratique : en versant un peu de lait froid au fond de la tasse on évitait que l'infusion brûlante ne craquelât les délicates porcelaines de Chine. Ce serait l'origine du M.I.F. (*milk in first* ou le lait d'abord) des Anglais. *Femme prenant le thé*, tableau de Chardin (ci-dessus). *La Toilette*, Boucher, 1742 (ci-contre). *Le Thé à l'anglaise, à Paris, à la cour du Prince de Conti*, avec le jeune Mozart au clavecin, Ollivier Barthelemy, 1766 (pages précédentes).

Les Français, contrairement aux Britanniques, ont toujours considéré que le thé – boisson excitante – ne convenait pas aux enfants. Mais en dépit de ces réticences, des générations de petites filles reçurent en cadeau des services à thé miniature : «Ta tante
d'Aubert m'a chargée de te donner de sa part ce petit thé [...]. L'heureuse Sophie prit le
plateau avec les six tasses, la théière, le sucrier et le pot à crème en argent.» Comtesse
de Ségur, *Les Malheurs de Sophie*. *Francisque Sarcex chez la fille d'Adolphe Brisson*,
M.A. Baschet (ci-dessus). *La Tasse de thé*, M.A. Baschet (1896). C'est en 1925 que
Maurice Ravel dans *L'Enfant et les sortilèges* mettra en scène un enfant prenant du thé.

sation. La marquise de Sévigné, grande adepte, témoigne de pratiques acharnées : «J'ai vu la princesse de Tarente […] qui prend tous les jours douze tasses de thé. […] Cela, dit-elle, la guérit de tous ses maux. Elle m'assura que Monsieur le Landgrave en prenait quarante tasses tous les matins. "Mais, Madame, ce n'est peut-être que trente… – Non, c'est quarante. Il était mourant. Cela le ressuscita à vue d'œil." Enfin, il faut avaler tout ça.» «Il se prend ordinairement le matin pour réveiller les esprits et donner de l'appétit», renchérit Nicolas Audiger, l'auteur de la *Maison réglée*. Mais tel n'est pas tout à fait l'avis de la pétulente princesse Palatine : «Le thé n'est pas aussi nécessaire aux ministres protestants qu'aux prêtres catholiques qui ne peuvent se marier, car il rend chaste…»

En France le thé demeure longtemps une denrée plus rare et beaucoup plus chère que le café. Le premier est en outre lié à tout un cérémonial coûteux, nécessitant de la porcelaine et de l'argenterie, alors que le second est rapidement popularisé par des marchands ambulants et par la vogue de ces nouveaux établissements que sont les cafés parisiens : on en compte près de trois cents en 1715. Réservé aux familles fortunées, signe de suprême distinction, le thé donne ainsi l'occasion aux meilleurs orfèvres et aux meilleurs céramistes des manufactures de Vincennes ou de Sèvres d'exercer leur talent. Sans doute trop marqué par ces débuts aristocratiques et parisiens, le thé ne sera jamais une boisson largement répandue en France. Il faut attendre le XIXe siècle pour que les nouvelles classes bourgeoises et la petite aristocratie de province s'essaient, du bout des lèvres, à l'infusion. Balzac, grand amateur de thé, peut décrire dans les *Illusions perdues* une madame de Bargeton qui, à Angoulême, «tambourine dans le département une soirée à glaces, à

En France, le salon de thé s'est longtemps défini – par opposition au café – comme le seul lieu public qu'une femme pût fréquenter sans craindre pour sa réputation. Dans les *Mémoires d'une jeune fille rangée*, Simone de Beauvoir se souvient que les normaliens de bonne famille l'invitaient à prendre le thé – non point dans des salons, trop chers pour leur bourse d'étudiants – du moins dans les arrières-boutiques des boulangeries. Car «ils ne fréquentaient pas les cafés, et n'y auraient en tout cas jamais emmené des jeunes filles». Théières d'un grand hôtel, à Évian (ci-dessus). Le salon de thé de Fauchon en 1910 et conditionnements anciens de la maison Mariage Frères (ci-contre).

gâteaux, et à thé, grande innovation dans une ville où le thé se vend encore chez les apothicaires, comme une drogue employée contre les indigestions». À la même époque, on boit en Grande-Bretagne du thé six fois par jour, du palais de Buckingham aux quartiers les plus pauvres comme les *slums* de Liverpool.

À la fin du siècle, à la faveur des «salons» et des goûters dansants, le thé se répand assez largement dans les milieux mondains. Les bains de mer, les casinos, les vérandas fleuries des palaces, tels l'Hôtel du Palais à Biarritz ou le Grand Hôtel de Cabourg, donnent aussi l'occasion de goûter à des thés bien proustiens, où l'on s'abandonne aux plaisirs de la conversation ; quand ce n'est pas sous les charmilles de Bagatelle, où l'on arrive en landau après s'être montré tout au long de l'avenue du Bois.

Pourtant, si les *tea rooms* sont rares en Angleterre, où l'on doit se rendre plutôt dans les grands hôtels, la France peut s'enorgueillir

de l'invention des salons de thé. Ils fleurissent à Paris dès le début du XXe siècle, à l'exemple de la maison Rumpelmeyer, future Angélina, fondée en 1903 par un pâtissier d'origine autrichienne, Antoine Rumpelmeyer. Fidèles à l'image traditionnellement élitiste du thé en France, ces établissements, qui sont le contraire des bistrots populaires et bruyants, permettent aux amateurs de savourer les meilleurs thés dans le calme et le confort, voire l'intimité, d'un espace préservé du temps. Jugés à l'aune des cafés – lieux par excellence de la convivialité française et points de rencontre préférés des milieux artistiques et intellectuels –, les salons de thé ont longtemps été considérés, selon l'expression de Roland Jaccard, comme des «mouroirs tièdes et calfeutrés». Et il est vrai que leur charme souvent un peu désuet incite davantage à la mélancolie, à la rêverie, qu'au brassage des milieux et aux débats d'idées.

Cette image s'estompe rapidement dans la France d'aujourd'hui, l'un des rares pays du

353. PARIS – Bois de Boulogne
Le Restaurant de la Cascade   C. M.

«Odette fit à Swann "son" thé, lui demanda : "citron ou crème ?" et comme il répondit "crème" lui dit en riant "un nuage ! " Et comme il le trouvait bon : "Vous voyez que je sais ce que vous aimez." Ce thé, en effet, avait paru à Swann quelque chose de précieux, et [...] pendant tout le trajet qu'il fit dans son coupé [...], il se répétait : "ce serait bien agréable d'avoir ainsi une petite personne chez qui on pourrait trouver cette chose si rare, du bon thé".» Marcel Proust, *Un amour de Swann*. L'heure du thé au Restaurant de la Cascade, bois de Boulogne, vers 1900 (ci-dessus). *Dans l'intimité*, tableau de G. Croegaert, 1908 (ci-contre).

monde qui voit la consommation de thé augmenter régulièrement (elle a doublé en trente ans). Dans tous les quartiers de la capitale et dans les centre-villes de province, de nouveaux salons de thé, plus accessibles, moins guindés, s'ouvrent à une clientèle de plus en plus jeune. Toujours curieux de mets exotiques, et en même temps soucieux de qualité et d'authenticité, les Français peuvent découvrir dans les meilleurs de ces établissements l'infinie variété des thés. Les marchands français proposent aujourd'hui à ces nouveaux gourmets la gamme la plus vaste et vraisemblablement les mélanges et les arômes les plus raffinés du monde. Désormais des clients se bousculent devant la porte de certains marchands de thé parisiens pour se procurer l'un ou plusieurs des trois cents thés inscrits au catalogue, vendus en vrac, dont ils pourront au préalable respirer les parfums. À moins qu'ils ne préfèrent

«Le jour où j'ai eu avec Vincent une conversation que j'ai notée, parce qu'elle m'amusait, nous étions allés prendre le thé près de Saint-Séverin, dans le pub anglais où il y a de si bonnes tartes au citron. Cela n'était pas pour le récompenser : il ne l'avait nullement mérité. C'était parce que nous avions envie de parler, tout simplement. Vincent a onze ans.» F. Mallet-Joris, dans cet extrait de *La Maison de papier*, fait allusion au Tea Caddy, le plus britannique des salons de thé parisiens. Parmi d'autres salons de la capitale on reconnaît Le Loir dans la Théière et Les Contes de Thé (ci-dessus) ; Angelina dont le décor est classé (ci-contre).

les sachets en mousseline de coton, dans lesquels même les «grands seigneurs» peuvent dignement s'épanouir. Ici, chaque mélange réunit les meilleurs crus, et les thés aromatisés ne le sont qu'aux essences naturelles.

Cet «art français du thé», unique au monde, synonyme de rigueur et de qualité, s'exporte depuis quelques années à l'étranger, au même titre que le champagne et la haute-couture. Et ce n'est pas le moindre des paradoxes de surprendre aujourd'hui un membre de la famille royale anglaise dans la succursale londonienne d'une grande maison française du thé, ou de voir, dans les grands magasins de Tokyo, des clients affluer pour acheter du «thé français».

Concurrencé par l'invasion massive des boissons gazeuses, le thé doit aujourd'hui développer de nouvelles formules pour éviter son déclin. Deux voies s'offrent à lui, qui transformeront peut-être des traditions ancestrales : celle de l'industrie et celle de l'art. Pour répondre aux nouveaux usages qui ont fait le succès des sodas, les grands industriels du thé privilégient depuis une vingtaine d'années la production des sachets en mousseline et dans une moindre mesure des poudres instantanées et des infusions toutes prêtes. Cette adaptation au monde moderne incite quelques pays – l'Indonésie en est un exemple – à sacrifier des bons crus pour produire à leur place un thé de qualité médiocre. La seconde voie est exactement inverse. Se plaçant résolument sur un autre terrain que celui du Coca-Cola, des marchands de thé, surtout en France, ont entrepris de faire découvrir et aimer à un nombre toujours croissant de consommateurs toutes les subtilités du précieux nectar. Leur réussite fait qu'aujourd'hui la demande d'un thé de qualité est supérieure à l'offre, encourageant à nouveau les pays producteurs à cultiver amoureusement leurs jardins. Ainsi, si grâce à l'industrie, la consommation de thé ne diminue pas dans le monde, c'est grâce à un art renouvelé que des amateurs de plus en plus nombreux savent entretenir et répandre les mille et une façons d'apprécier l'heure du thé.

L'engouement des Français pour le thé se manifeste au-delà des salons et boutiques de thé. Les orfèvres et les maroquiniers témoignent eux aussi de cet art de vivre. On relance la mode des thés en plein air avec les mallettes d'osier équipées de thermos et d'un service complet ; on réinvente le nécessaire de voyage, comme celui conçu par la maison Vuitton (ci-dessus). Dans les années 1880, la maison Christofle poussa le raffinement jusqu'à proposer un mélange exclusif de thé – à base de Chine fumé – aux utilisateurs d'une nouvelle ligne de couverts à thé, en argent incrusté d'ébène. Un des maîtres de l'élégance parisienne, Jean-Louis Dumas-Hermès, déguste son thé préféré dans une tasse en porcelaine de Limoges (ci-contre).

LE GOÛT · DU · THÉ

Catherine Donzel

« *nglish tea or chinese tea ?*» Aux premières heures du jour, à la terrasse de l'hôtel Raffles de Singapour, dans l'ombre fraîche d'un grand velum vert et blanc, ou sous les stucs dorés du hall d'entrée du Peninsula de Hong-kong, le serveur asiatique ne manque jamais de poser cette question au touriste européen : «Voulez-vous du thé anglais ou du thé chinois ?» Si le voyageur choisit la première proposition, il accompagnera son petit déjeuner d'un thé noir en sachet, plutôt corsé, du Ceylan probablement. Trop longtemps infusé dans la théière, il faudra nécessairement l'arroser de lait pour en adoucir l'amertume. Et si, par curiosité, le client se décide pour le «thé chinois», peut-être remarquera-t-il une lueur amusée dans le regard de l'employé de l'hôtel. Celui-ci sait par expérience que le touriste occidental risque d'être fort surpris par le thé qu'il vient de commander. Cette fois, il s'agit d'un thé semi-fermenté (un Oolong) en feuilles entières, dont l'infusion de couleur pâle est d'une saveur rafraîchissante et fleurie. Il est alors possible que l'Européen désorienté y ajoute sucre et lait afin de reconstituer, sans d'ailleurs y parvenir, le goût auquel il est accoutumé ; une véritable hérésie pour le serveur chinois qui en a vu d'autres et ne manifestera sûrement pas sa désapprobation. Pourtant l'ignorance de son client est somme toute assez comparable à celle de ces riches Asiatiques qui dégustent de superbes cognacs allongés d'eau gazeuse !

Durant des décennies, le buveur de thé occidental a vécu à l'heure britannique. Certes l'on savait depuis longtemps qu'il existe diverses variétés de thé et qu'à chacune d'elles correspond un goût spécifique. À la fin du XVIIe siècle, l'Europe buvait du thé vert, qui fut le premier à être importé. Un siècle plus tard, à travers toute l'Europe, de Paris à Saint-Pétersbourg, on raffolait de la saveur douce et aromatique des thés noirs de Chine et l'on consommait avec délectation les «thés de fleurs» ou les «thés de senteurs».

Par ailleurs, certains thés désormais célèbres – comme le «thé des caravanes» acheminé de Chine en Russie à travers le désert de Gobi – séduisirent, par leur parfum d'aventure, des générations d'amateurs. Mais à partir de 1850, on assista, en Occident, à une uniformisation progressive du goût du thé à laquelle n'échappèrent que quelques esprits raffinés et curieux. L'Angleterre, qui avait introduit la culture du théier dans ses colonies et qui détenait désormais le monopole du commerce du thé, finit en effet par imposer aux Occidentaux ses propres critères gustatifs : il n'était de thé que de Ceylan ou d'Assam, puissant, robuste et d'une belle liqueur ambrée. Les grandes marques britan-

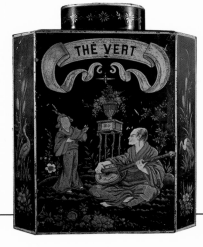

«C'était toujours le même rituel. Miss Lisle buvait du Lapsang Souchong sans lait ni sucre avec deux épaisses rondelles de citron déposées dans la théière avant qu'on y versât l'eau bouillante.» P. D. James, *The Skull Beneath the Skin*. Boîte de tôle illustrée d'un détaillant en thé (ci-dessus). *Early morning tea* servi dans une auberge des Costwolds (ci-contre). Préparation des infusions pour une dégustation professionnelle, London Centre of the Tea Trade (page 196).

niques diffusèrent ce type de thé, parfaitement standardisé, à l'échelle internationale. Tant et si bien que pour de nombreux Occidentaux, les mélanges corsés des thés de l'Inde devinrent la référence absolue. Cette opinion, encore partagée par une grande partie de nos contemporains, ne rend pourtant pas compte de l'univers foisonnant du thé. Quand on sait qu'il existe plus de catégories de thé en Chine qu'il n'y a de vins en France, que chaque terroir d'origine produit un thé unique, que la saveur des thés de Darjeeling évolue au fil des saisons, ou que sur le rameau de théier le bourgeon ou la feuille éclose n'ont pas les mêmes propriétés, on comprend qu'il est dommage d'appréhender le thé de façon restrictive.

Mais, à l'inverse, pour découvrir le large éventail de saveurs qu'offrent les thés de l'Inde, du Japon, de Chine ou d'Afrique, on conseillera beaucoup de prudence et de discernement. Il est des thés pour chaque moment de la journée, et pour tous les goûts ; des thés très exceptionnels que l'on peut comparer à de grands vins millésimés et des thés fort honnêtes mais destinés à la consommation courante, comme les vins de table. C'est pourquoi on ne dégustera un thé blanc, qui est l'un des plus prestigieux du monde, que si l'on est déjà un véritable connaisseur. Pour un palais moins exercé, l'infusion de ces jolis bourgeons veloutés – qui demeure transparente comme du cristal – paraîtrait insipide ; un risque à ne pas prendre quand on connaît le prix du thé blanc!

De même, lorsqu'on préfère les infusions puissantes et corsées, il convient de s'accoutumer très graduellement aux thés verts ou semi-fermentés dont la liqueur est délicate et subtile. On peut, par exemple, en introduire une ou deux mesures dans son thé habituel ou les déguster en accompagnement de certains

En Europe et jusqu'à la Seconde Guerre mondiale, l'essentiel du commerce du thé transitait par Londres, bien sûr, mais aussi par Amsterdam qui fut un important centre de ventes aux enchères. Actuellement c'est, en grande partie, à Hambourg que l'Europe continentale s'approvisionne en thés du monde entier. Lors des ventes aux enchères – car c'est sur ce système que s'organisent les trois quarts du commerce de thé – les achats reposent entièrement sur le *tea taster* qui doit être avisé mais aussi très rapide : c'est en effet juste avant l'ouverture des ventes que l'on peut, à partir d'échantillons, juger de la qualité des arrivages. Dégustation professionnelle, à Hambourg (ci-dessus). Marchand de thé à Kurseong, au Bengale (ci-contre).

mets qui exalteront leur caractère. Il semble d'ailleurs que les consommateurs soient tout naturellement enclins à effectuer cette initiation progressive. Ainsi, on constate qu'en France, c'est grâce aux thés parfumés, pour lesquels le public s'enthousiasma dans les années soixante-dix, qu'apparut une nouvelle génération d'amateurs. Les thés parfumés constituent d'ailleurs une introduction idéale : on y reconnaît des arômes familiers ou exotiques qui peu à peu conduisent à des saveurs plus rares ; et du goût des fleurs et des fruits on passe insensiblement... au goût du thé.

La feuille de thé porte en elle le souvenir de sa terre d'origine. Thé des plaines ou thé des montagnes, jeune thé de printemps sur les contreforts de l'Himalaya, ou thé doré des beaux étés cinghalais, chaque cru exprime son originalité et chaque tasse de thé est une invitation au voyage. Le nom des divers terroirs est à lui seul une promesse d'évasion, celui des jardins est plus évocateur encore. Gageons que beaucoup d'entre nous ont un jour choisi un thé plutôt qu'un autre justement pour avoir lu son nom, enchanteur et exotique, sur l'une de ces grandes boîtes de tôle peinte qui ornent la boutique des détaillants. D'ailleurs, les marchands de thé le savent bien, eux qui, en baptisant leurs mélanges maison ou quelque varié-

té nouvellement importée, imaginent toute une féerie de noms charmants.

En Chine, la pratique qui consiste à numéroter les principales catégories de thés est réservée aux étrangers car pour la consommation locale, les négociants disposent d'un florilège d'appellations pittoresques ou poétiques. Il est bien rare qu'un thé chinois soit simplement désigné par le nom de sa province ou contrée d'origine : les innombrables variétés portent des noms de fleurs, de fleuves, de héros mythologiques ou de divinités célestes, sans oublier la toute-puissante famille des Dragon noir qui, au «pays des dix mille thés», est la plus répandue.

La magie des mots est une des séductions du thé. Mais pour l'amateur le moins averti, c'est aussi une source d'erreurs et de confusions. Avant de musarder librement parmi les crus et jardins – ce qui sous-entend déjà une solide expérience –, il convient de savoir exactement quel plaisir ou quel réconfort on attend d'une tasse de thé. Recherche-t-on un thé puissant et corsé pour l'heure du petit déjeuner, ou préfère-t-on une infusion légère et digestive pour conclure agréablement les repas ? Désire-t-on un thé rafraîchissant et vitaminé pour s'en désaltérer tout le jour, ou doux, parfumé et faible en théine pour le soir ? Le thé a réponse à tout. Il suffit de se référer

Poissons fumés, œufs à la coque, pour un *high tea* typiquement britannique tel qu'on peut le déguster dans le Yorkshire, le comté le plus attaché aux traditions de l'heure du thé (ci-dessus). Théière à poignées hautes dont la forme caractéristique était aussi utilisée en Chine, pour les verseuses à vin (en vignette). La boutique Tee Import de Bâle et son propriétaire ; cet établissement, fondé au XVIIIe siècle par un importateur de porcelaine de Chine, fut en Suisse la première boutique de thé (ci-contre).

aux grandes catégories de goûts qu'ont définies les professionnels européens en étudiant les caractéristiques des divers thés noirs, verts ou semi-fermentés.

Bien avant que les Occidentaux ne décident de mettre un peu d'ordre dans l'univers surabondant des thés, les Chinois avaient déjà établi les principes d'une classification qui leur est propre. Celle-ci repose essentiellement sur la couleur des infusions – rouge, verte, blanche ou jaune – et procède d'une science du thé si sophistiquée qu'elle ne fut jamais utilisée par les Européens. En Occident, et jusqu'en 1945 environ, les thés étaient uniquement classés par origine (Inde, Chine, Ceylan, etc.). Mais l'indication de la provenance d'un thé ne permet pas, à elle seule, de préjuger de la saveur d'une infusion. Nombreux sont les salons de thé qui proposent, par exemple, du «thé de Chine». Cela n'a aucun sens et prouve simplement que l'on a pris l'habitude de confondre l'appellation

«Chine» avec le goût unique des thés fumés de la région de Fujian ; en oubliant que les jardins chinois produisent aussi des thés non fumés, des thés semi-fermentés et une multitude de thés verts. Les appellations «Assam» ou «Ceylan» sont également l'objet de généralisations hâtives ; ces thés du matin, toniques et corsés, révèlent parfois plus de délicatesse et conviennent alors très bien à la *nice cup of tea* de l'après-midi : dans l'un et l'autre cas, c'est la feuille, entière ou brisée, qui fait la différence.

C'est pourquoi les experts occidentaux, depuis une cinquantaine d'années ont adopté un nouveau type de classification ; celui-ci tient compte des degrés de fermentation, des techniques de fabrication ainsi que du «grade» du thé, déterminé par la taille et la forme de la feuille. Tous ces critères définissent une riche palette de saveurs particulières parmi lesquelles chacun fera son choix, selon son humeur, selon ses goûts.

Pour définir les caractéristiques d'un thé, les professionnels utilisent un vocabulaire aussi pittoresque que celui employé – pour le vin – par les œnologues. Ainsi, une feuille de thé de belle apparence est «bien tournée» ; trop grosse pour le grade auquel elle est destinée, on la qualifie de «téméraire». Encore jeune le thé est «cru» ou bien «fondant» si, à l'inverse, il exprime une bonne maturité. Le goût de l'infusion peut être «brûlé» (si la feuille est trop torréfiée), «insonore» (si le thé a perdu ses propriétés) à moins qu'il ne soit «alerte-vif» ou pourvu d'un bon «nez». Membre du U.S. Board of Tea Experts, lors d'une dégustation à New York, 1940 (ci-dessus). Thés de la maison Mariage Frères, à Paris (ci-contre).

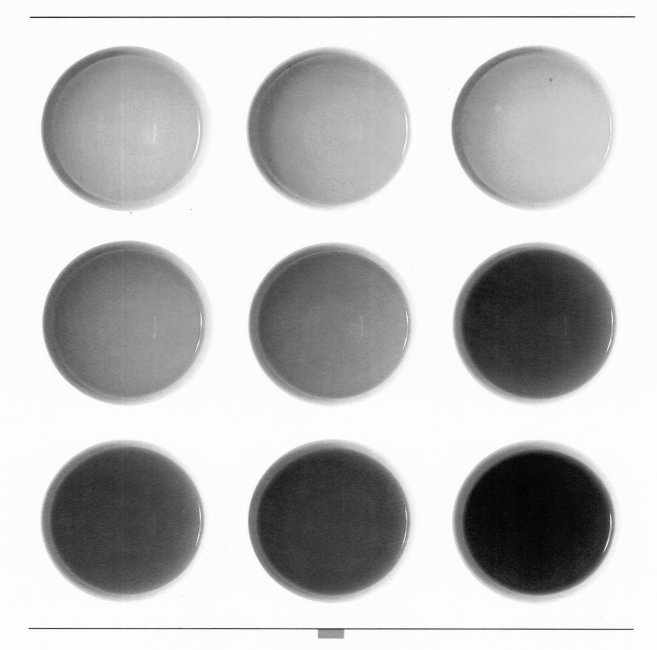

«[…] On invitait les parents pour déguster les échantillons de thé […]. On commence par les thés les plus délicats, thés de Chine qui gardent un fin parfum de laque, ceux de Formose, presque incolores, qui ont un goût de fleur, orange-Pekoe, un peu orangés, thés de Russie si subtils […], et on finit par les thés de l'Inde aux larges feuilles, que l'Angleterre cherche à répandre dans le monde, et dont la saveur forte et la couleur foncée plaisent au profane.» Jacques Chardonne, *Les Destinées sentimentales*. Couleurs des infusions, thé blanc Yin Zhen ; Lung Ching (thé vert de Chine) ; Sencha Honyama (thé vert du Japon) ; Ti Kuan Yin (thé semi-fermenté de Formose) ; Darjeeling «first flush» T.G.F.O.P. ; Orange Pekoe de Ceylan ; Darjeeling Broken Pekoe Souchong ; Uva Highlands (Ceylan) B.O.P. ; Fannings B.O.P. (Cameroun) [de gauche à droite et de haut en bas].

COULEURS ET SAVEURS

Il existe une légende selon laquelle le thé noir serait né, par hasard, au fond des cales d'un navire de l'East India Company : le thé vert, originaire de Chine, aurait fermenté durant une trop longue traversée. À la suite de quoi les Européens, immédiatement conquis par la saveur de ce produit accidentel, auraient persuadé les Chinois de fabriquer ce nouveau thé. Cette anecdote n'a, bien sûr, aucune réalité historique, mais elle témoigne assez bien qu'il est un goût du thé typiquement occidental et qui n'appartient pas à l'univers gustatif des Orientaux, traditionnellement portés à préférer la subtile délicatesse des thés verts ou semi-fermentés. D'ailleurs le thé noir n'est fabriqué à grande échelle que dans les pays – Inde, Ceylan, Afrique – où les Occidentaux l'ont eux-mêmes introduit. Pas de thé fermenté au Japon ; en Chine, on le réserve presque exclusivement à l'exportation.

Le goût du **thé noir** vint aux Européens avec celui des friandises. Rond et doux, il se marie en effet fort bien aux saveurs sucrées ; il est de plus le seul à tolérer – parfois ! – un nuage de lait. Quant à la couleur brun doré de l'infusion, elle avait de quoi séduire des peuples habitués à admirer dans leur verre les rouges, les roux et les ocres du vin et de la bière. Autant de couleurs plus familières à nos compatriotes que le rose pâle ou le vert jade des infusions orientales.

Mais, sorti de ces généralités, on constate assez vite qu'il y a thé noir et thé noir. Le secret de cette diversité se résume à quelques initiales obscures que l'on trouve en général inscrites à la suite de l'appellation d'origine, dans les catalogues des marchands de thé ou sur les boîtes vendues dans le commerce. B.O.P, G.F.O.P., ou même F.T.G.F.O.P. : terminologie assez peu engageante qui précise tout simplement le degré de maturité et la forme de la feuille.

Parmi les thés noirs en feuilles entières, la qualité la plus subtile est le Flowery Orange Pekoe (F.O.P.). Elle désigne des thés issus d'une cueillette fine et précoce, uniquement composés du bourgeon non éclos et des deux jeunes feuilles qui suivent. Le mot Pekoe vient du chinois *Pak-ho* qui évoque les cheveux fins du nouveau-né et désigne, par association d'idée, le bourgeon printanier encore revêtu d'un léger duvet. «Orange» n'est pas, comme on le croit souvent, une indication de couleur ou d'arôme, mais rappelle le nom que prirent les Nassau quand ils devinrent princes d'Orange ; c'est donc une notion de qualité qui fut probablement introduite, autrefois, par les marchands néerlandais. Les feuilles d'un Flowery Orange Pekoe sont aisément identifiables et fort belles : très finement roulées dans leur longueur et parsemées de tips dorés qui sont la pointe aiguë des bourgeons. Plus il y a de *tips*, plus le prix est élevé : du Golden Flowery Orange Pekoe (G.F.O.P.) au Finest Tippy Golden Flowery Orange Pekoe (F.T.G.F.O.P), on arrive à des thés très blonds, très clairs, presque exclusivement composés de *tips*, et l'on gravit tous les degrés de l'ex-

«On boit du thé pour oublier le bruit du monde», écrivait le sage chinois T'ien Yiheng. Objets du thé en Chine contemporaine : couffin capitonné pour maintenir la théière au chaud (1) ; service à thé début de siècle (2) ; thé semi-fermenté au jasmin (3) ; boîte à thé en étain (4) ; divers conditionnements de thé semi-fermenté, en paquets (5-6-8), en boîte de métal (7), galettes de thé compressé (9-11) ; boîte de la maison Fook Ming Tong, à Hong-kong (10) [pages suivantes].

cellence. Cette catégorie de feuilles, quelle que soit l'appellation d'origine, ne donnera jamais beaucoup de force à l'infusion : il faut s'attendre, au contraire, à un thé fin et très aromatique. Selon la date des récoltes – comme à Darjeeling –, il peut exprimer une subtilité comparable à celle des grands thés semi-fermentés. Le Flowery Orange Pekoe est idéal pour l'après-midi, tout comme l'Orange Pekoe (O.P.) qui résulte également d'une cueillette fine mais plus tardive : à ce stade de maturation, le thé ne présente pas de pointes claires et la feuille, qui a grandi, est plus longue et très élégante.

Il est d'autres sortes de thés noirs en feuilles entières, issus de cueillettes moins fines, et qui, le plus souvent, ne sont pas commercialisées telles quelles. C'est par exemple le Pekoe qui, issu de la troisième feuille du rameau de thé, est généralement utilisé pour les mélanges ; ou le Souchong, aux grandes feuilles épaisses et sombres, dont le goût boisé convient bien à la fabrication des thés fumés, comme le Lapsang Souchong ou le Tarry Souchong.

Pour la puissance et les saveurs taniques que l'on aime à retrouver dans la première tasse du matin, il faut plutôt choisir un Broken ou thé noir en feuilles brisées. Contrairement à un préjugé très répandu, les thés proposés en «Broken» ne sont pas de qualité inférieure à ceux que l'on commercialise en feuilles entières. Ils ont simplement subi une transformation particulière destinée à corser l'infusion.

Le meilleur des Broken, le Broken Orange Pekoe (B.O.P.), provient des brisures des qua-

lités les plus fines et peut contenir des pointes dorées quand il est composé à partir du Flowery Orange Pekoe. Fabriqué intentionnellement, il atteint parfois des prix très élevés car la manipulation qu'il suppose, toujours réalisée à la manufacture, est assez délicate.

Les Dust ou les Fannings – ou thés à feuilles broyées – donnent une liqueur encore plus forte et consistante. Généralement présentés en sachet, il faut savoir qu'ils contiennent de véritables morceaux de feuille.

Broken, Dust et Fannings supportent un nuage de lait froid et un morceau de sucre... si véritablement on ne peut s'en passer.

Le **thé vert** est aux antipodes du thé noir ; avec lui, on quitte les saveurs taniques pour les saveurs fraîches, on passe de la couleur brune à la pâleur exquise, de la table européenne au temple bouddhique. On est ailleurs, bien loin des *tea parties* et des petits déjeuners sucrés ; on est en Orient, tout simplement. Et le type de classification qui expliquait si bien le thé des Occidentaux n'est tout à coup plus adapté. Au pays du thé vert, les notions de corps et de force n'ont pas cours et les divers «grades» des feuilles – qui, dans le cas du thé noir, définissent une hiérarchie de goûts plus ou moins corsés – sont peu significatifs. D'ailleurs, exception faite pour le Matcha (ou thé vert pulvérisé produit au Japon), les thés non fermentés sont toujours en feuilles entières et ceux que l'on diffuse sur le marché occidental proviennent le plus souvent de cueillettes fines. Les techniques locales de culture et de fabrication révèlent, en

«De même que les différentes façons de faire le vin caractérisent les tempéraments particuliers des différentes époques et des différentes nationalités européennes, de même les idéaux du thé caractérisent les diverses modalités de la culture orientale.» Okakura Kakuso, *Le Livre du thé*. Marchands de thé japonais sélectionnant les thés proposés par une société américaine implantée au Japon ; cette sélection concerne probablement des thés noirs car le Japon – qui n'exporte presque pas de thé vert – importe en revanche une assez grande quantité de thés fermentés (ci-contre).

revanche, une large variété de saveurs. Et les thés verts de Chine ou de Formose se distinguent très nettement des thés élaborés selon les méthodes japonaises.

Pour les qualités supérieures, les thés chinois sont généralement proposés en feuilles plates. Celles-ci sont d'un beau vert-de-gris, très argenté quand il s'agit de grands thés comme le Dong Yang Dong Bai, exclusivement composé de bourgeons duveteux et de très jeunes feuilles. La couleur des infusions est cristalline et varie du vert orangé au rose pâle. Le goût est doux et subtil. Il existe d'autres qualités, moins considérées par les Chinois, dont les feuilles sont soigneusement roulées en boule. En petites perles fines, c'est par exem-ple le Hyson qui fut au XIXᵉ siècle le plus connu des thés verts ; en gros grains réguliers, c'est le Gunpowder qui, associé à la menthe fraîche, constitue la boisson favorite des pays musulmans.

Au Japon, où l'on produit exclusivement du thé vert, les variétés sont multiples mais, en raison de la forte consommation locale, leur exportation demeure limitée. Ce sont des thés exceptionnellement désaltérants qui restituent, intacte, l'harmonie végétale des jardins où ils sont nés. Les infusions, du vert jade au jaune clair, sont plus colorées qu'en Chine et la teinte des feuilles est plus verdoyante et vive. Le goût a la puissance aromatique des herbes fraîchement coupées. Évidemment, pour les Occidentaux, ces thés sont surprenants. Il faut un palais averti pour apprécier le plaisir rare du Gyokuro, ou «rosée précieu-se», dont les bourgeons, trois semaines avant la cueillette, sont recouverts d'une grande bâche noire ; une opération qui augmente leur teneur en chlorophylle et accentue leur belle couleur vert sombre. Et sans initiation préalable, on ne peut déguster comme il le mérite le prestigieux Matcha Uji dont la poudre de jade, vivement battue dans un peu d'eau pure, donne un breuvage somptueux, concentré et nourrissant. Il est plus raisonnable, dans un premier temps, de préférer les Sencha, thés excellents mais moins sophistiqués que les qualités précédentes, ou les Bancha qui, au Japon, sont consommés quotidiennement, comme nos vins de table.

La qualité d'un thé vert se juge à ses arômes, qui doivent être très développés, et à sa longueur en bouche : ainsi on reconnaît les grands thés verts japonais à leur façon d'embaumer durablement le palais d'une saveur parfumée et légèrement sucrée. Le thé vert a parfois une tendance à l'amertume. Ce peut être considéré comme un inconvénient par certains bien que le goût amer – qui est une des caractéristiques du thé en général – soit souvent très prisé. En tout cas, si l'on préfère éviter cette saveur particulière, il suffit de laver très rapidement le thé vert dans une première eau avant de l'infuser. Les thés non fermentés doivent être bus purs, sans adjonction de sucre ou de lait. Dotés de réelles vertus digestives, ils accompagnent agréablement les repas. Ce sont aussi des thés de détente à consommer tout le jour mais notons toutefois que, en raison de leur haute teneur en vitamine C, ils sont déconseillés pour le soir.

«Quand tout est accompli, au cœur de la théière, que le thé, que la menthe, que le sucre ont fusé partout à travers l'eau, et l'ont teintée et saturée [...] alors il faut remplir un verre à demi, puis arroser avec le mélange pour le mêler mieux encore. Attendre. Attendre sans bouger. Enfin, de très haut, comme une cataracte verte, dont le son, dont la vue fascinent, le thé doit couler à nouveau dans un verre. On peut boire à présent et rêver, le front un peu penché, les doigts très écartés parce que le verre brûle.» Simone Jacquemard, *Le Mariage berbère*. Thé à la menthe et pâtisseries orientales (ci-contre).

Toniques sans être excitants, ils ont la réputation de stimuler les fonctions intellectuelles.

La feuille de thé doit avoir «des plis comme les bottes de cuir des cavaliers tartares, des boucles comme les fanons d'un bœuf puissant et se dérouler comme la brume qui monte du ravin». C'est ainsi que Lu Yu, l'auteur du *Chaking* qui, depuis le VIIIe siècle, est la bible du thé, décrivait la feuille idéale ; et ce pourrait bien être, à notre avis, celle du **thé semi-fermenté**. Volumineuse, toujours entière et non roulée, elle prend une infinité de formes extravagantes : on y reconnaît l'entortillement nerveux du dragon des légendes, l'envol soudain immobilisé de quelque insecte, ou le dessin courroucé du sourcil des acteurs chinois (il est d'ailleurs un thé semi-fermenté qui tient son nom de cette analogie). Outre ses qualités plastiques, le semi-fermenté – qui n'a subi qu'un début de fermentation – conjugue les saveurs du thé noir et du thé vert ; plus suave que le premier, moins frais et végétal que le second, c'est un thé d'équilibre.

Sous le terme générique de Oolong, le thé semi-fermenté réunit plusieurs variétés, elles-mêmes divisées en deux catégories. L'une regroupe des thés, baptisés Chinese Oolong, qui n'ont subi que 12 à 20 % de fermentation et sont rarement exportés. Courants en Chine, ces thés ont un goût très «oriental» – qui rappelle les herbes du printemps – et leur infusion est jaune pâle. Les thés de la seconde catégorie – ou Formosa Oolong – sont soumis à une fermentation plus prolongée (60 %, environ) et donnent une liqueur dorée, d'une saveur plus «occidentale». Parmi les thés de ce type, celui que nous consommons habituellement en Europe est, selon son appellation commerciale, l'Oriental Beauty, mieux connu en France sous le nom de Dragon noir, (qui est la traduction littérale du mot *Oolong*). C'est le plus recherché des thés semi-fermentés, comme son prix en témoigne. On lui reconnaît en général un léger goût d'orchidée, très prisé par les amateurs de Darjeeling et par tous ceux qui préfèrent les thés légers et aromatiques.

Le thé semi-fermenté convient à toutes les heures de la journée et peut accompagner tous les repas ; hormis peut-être le petit déjeuner pour lequel il serait trop doux. Faible en théine, c'est avant de s'endormir la boisson idéale, surtout lorsqu'il est additionné de jasmin, de fleurs d'oranger, de pétales de roses ou autres fleurs aux vertus apaisantes.

Après-midi dans un jardin d'hiver, le thé est servi dans une porcelaine de Wedgwood dont le décor bicolore à la grecque fut créé dans les années 1830 (ci-contre). Pages précédentes : brasero japonais en fonte (1) pour la cérémonie du thé ; bouilloire ancienne en fonte, Japon (2) ; service à thé chinois dont une tasse à couvercle *(chung)* pour l'infusion individuelle (3) ; boîte à thé en métal, 1900 (4) ; boîte à thé en cuivre, XIXe siècle (5) ; samovar russe en cuivre, XIXe siècle (6) ; conditionnements de thé chinois (7-8) ; boîte de marchand de thé, XVIIIe siècle (9) ; boîte à thé début de siècle (10) ; service japonais en porcelaine, vers 1900 (11).

LA LEÇON DE THÉ

Il ne suffit pas de savoir choisir un thé. Issu d'un grand jardin et composé de feuilles élégantes, le thé de la plus belle apparence et du meilleur arôme ne tiendra peut-être pas sa promesse et pourra se révéler, dans la tasse, fort banal. Il arrive d'ailleurs régulièrement que les clients d'excellentes maisons – après avoir acheté quelque superbe thé – reviennent courroucés jusqu'au comptoir de leur détaillant : l'infusion ayant déçu leurs espérances, ils concluent hâtivement que le thé dont on leur avait vanté les mérites n'était pas bon. Or, dans la plupart des cas, il serait plus juste de dire que l'eau utilisée pour ce thé n'était pas bonne, que la théière ne l'était peut-être pas non plus, ni même, parfois, la durée de l'infusion. Car la réussite d'un thé résulte, pour moitié, du soin que l'on apporte à sa préparation.

Il faut d'abord une théière – qui est l'«outil» le plus précieux du buveur de thé – bien adaptée et traitée avec égards. Jamais lavée, jamais frottée, elle sera toujours rincée à l'eau claire et séchée, couvercle ôté, à l'air ambiant. C'est qu'il faut préserver le dépôt de tanin qui brunit peu à peu ses

parois : ce revêtement naturel exalte les saveurs de l'infusion. En contrepartie, une théière bien «culottée» et habituée à recevoir des thés fumés ou puissamment corsés – dont elle garde les parfums – ne sera plus en mesure d'accueillir des thés suaves et délicats. C'est la raison pour laquelle il faudrait idéalement posséder une théière pour chaque catégorie de thés. Mais, à moins qu'on ne collectionne ces ustensiles, on se contentera de trois théières : l'une pour les thés corsés, l'autre pour les thés doux, la troisième enfin à l'usage des thés parfumés. En terre cuite ou en métal argenté, la théière conviendra bien aux thés forts et riches en tanins que sont, par exemple, les thés de Ceylan ou d'Assam. Il paraît que l'étain, dans ce cas, donne aussi d'excellents résultats, de même que la fonte brute ; mais celle-ci, très prisée des Orientaux car elle libère des sels minéraux extrêmement bénéfiques, est d'un entretien difficile. En revanche, lorsqu'elle est émaillée, la fonte, comme la porcelaine ou la faïence, devient le réceptacle idéal des thés verts et semi-fermentés ou des thés noirs légers, tels les Darjeeling. La forme importe peu pourvu qu'elle soit simple ; le reste est affaire de goût. Mais notre préférence va aux théières en faïence insérées dans un revê-

«Lorsque les visiteurs étaient peu nombreux, le mardi, on servait le thé dans le salon même. [La comtesse Sabine] avait rappelé Vandeuvres, qu'elle interrogeait sur la façon dont les Anglais faisaient le thé. Il se rendait souvent en Angleterre, où ses chevaux couraient. Selon lui, les Russes seuls savaient faire le thé, et il indiqua la recette.» E. Zola, *Nana*. *Rebeka*, photographie de M. Jeziorowska (ci-dessus). Collection de théières et de tasses de thé dans un appartement moscovite ; la plupart de ces pièces sont russes et datent du début du XIXe siècle (ci-contre).

tement métallique capitonné de feutrine ; d'origine anglaise ou allemande, elles sont en général fort belles et présentent l'avantage de maintenir longtemps le thé à bonne température.

On oublie trop souvent que le thé est, somme toute, une eau subtilement parfumée et qu'à ce titre les qualités de celle-ci sont à prendre en compte. On raconte que les maîtres de thé chinois étaient capables de reconnaître, dans l'infusion, le goût spécifique de certaines eaux, qu'elles aient été puisées au bord d'un fleuve, dans le cours d'un torrent ou les profondeurs d'un puits. Certains amateurs extrêmement raffinés se font expédier des eaux renommées pour leur excellence et l'on dit que la reine d'Angleterre ne voyage jamais sans une provision d'eau de source qu'elle destine à la préparation de son thé. Plus simplement, il faut veiller à ce que l'eau soit pure, fraîche, inodore et sans calcaire. Dans certaines régions, l'eau de la ville, naturellement douce, convient très bien ; par précaution, on en fera auparavant bouillir une petite quantité afin d'y déceler, en humant la vapeur qui s'en dégage, d'éventuelles odeurs indésirables. Mais on peut aussi utiliser les filtres à eau vendus dans le commerce, ou recourir aux eaux minérales les plus neutres, comme celles que l'on destine aux jeunes enfants.

Après avoir choisi l'eau et la théière, on peut enfin procéder à l'infusion. Il s'agit tout d'abord de faire chauffer l'eau dans une bouilloire réservée, de préférence, à la préparation du thé. On ébouillante alors longuement la théière avant d'y jeter les feuilles de thé, en veillant bien aux proportions. Considérons qu'en général il faut prévoir, par tasse, 2,5 grammes de thé – soit le volume d'une petite cuillère bien remplie. Mais cela vaut surtout pour le thé noir en feuilles entières ; en feuilles brisées, une cuillère rase suffit ; pour les Fannings, on ne remplit la cuillère qu'aux deux tiers. Une bonne tasse de Oolong requiert deux cuillerées bien pleines. Les infusions de thé vert sont soumises à des dosages particuliers, suivant'les variétés considérées ; on peut sans trop se tromper compter une moyenne de 3 grammes par tasse mais, en l'occurrence, les conseils du détaillant seront précieux.

Les feuilles de thé une fois placées au fond de la théière bien chaude doivent demeurer ainsi, enveloppées de vapeur d'eau, une à deux minutes. C'est à cette condition qu'elles libéreront tous leurs arômes.

«Ma chère, croyez-vous que l'eau soit assez bouillante pour la jeter sur le thé ?

– Ma chère, je crois que ce serait trop tôt.» Ou trop tard ! Car, comme madame de Staël semblait l'ignorer en écrivant ce dialogue extrait de *Corinne* : l'eau du thé ne doit jamais bouillir sans quoi elle deviendrait plate et sans vigueur. Par ailleurs, trop chaude, elle détériorerait les feuilles de thé et en dénaturerait l'arôme. C'est tout juste frémissante qu'il faut la verser sur le thé. Ensuite, ce n'est qu'une question de temps : pour les thés noirs, la durée d'infusion est de trois minutes (en feuilles brisées) à cinq minutes (en feuilles entières) ; les semi-fermentés ont besoin de sept minutes pour donner le meilleur d'eux-mêmes ; quant

«C'était exquis, cette besogne de prendre le thé, et elle avait toujours de délicieuses petites choses à manger : des petits sandwichs épicés, des petits biscuits doux aux amandes, et un gâteau brun, riche, parfumé au rhum.» K. Mansfield, *La Garden Party*. *Afternoon tea* et théière à l'effigie de la reine Victoria et du prince Albert de Saxe-Cobourg (ci-contre). Boîte à thé en argent massif, XVIIIe siècle (1) ; boîtes à thé de bois précieux et avec marqueterie (2-4) ; théière traditionnelle britannique (5) ; passoire à thé chinoise en bambou (6) ; boîtes à thé domestiques en tôle, XIXe siècle (3-7) ; boîte à thé en étain gravé, début XIXe siècle (8) [pages suivantes].

aux thés verts on les laisse infuser une à deux minutes quand ils sont du Japon, trois à cinq minutes s'ils sont de Chine. Mais attention, il existe des variantes et, encore une fois, les conseils du détaillant sont utiles.

Bien remuer avant de servir et, surtout, enlever les feuilles de thé faute de quoi l'infusion se prolongerait indéfiniment. On ne gagne jamais rien, hormis de l'amertume, à prolonger une infusion, en dépit d'un préjugé assez répandu qui veut qu'un thé très infusé soit plus tonique et fort en théine. C'est inexact : la théine est libérée dans la première minute de l'infusion, après quoi la présence des tanins en annulerait plutôt l'effet.

Si la théière dispose d'un filtre incorporé, il suffit d'ôter celui-ci pour se débarrasser des feuilles. Sinon, on aura recours aux filtres en coton – qui sont les mieux adaptés – que l'on retire au moment de servir. La boule à thé est aussi assez commode pourvu qu'elle soit très grosse ; car les feuilles, qui doublent de volume une fois plongées dans l'eau, ont besoin de place pour s'épanouir.

Évidemment, on n'a pas toujours le loisir de préparer un thé dans les règles de l'art. Ce n'est pas une raison pour se priver, au bureau par exemple, du réconfort que procure une tasse de thé : on peut sans hésiter utiliser les thés en sachets de mousseline (éviter les sachets en papier !) ; dans les bonnes maisons, ils sont de qualité équivalente aux thés vendus en vrac ; les thés verts ou semi-fermentés sont malheureusement difficiles à trouver dans ce genre de conditionnement.

Il ne faut pas chercher à gagner du temps en achetant à l'avance une trop grande quantité de thé. Denrée fragile et précieuse, le thé ne se conserve qu'en boîte close, à l'abri de l'humidité et de la lumière, et pendant une durée limitée : une dizaine de mois pour les thés noirs, six à huit mois pour les thés semi-fermentés et

Les premières boîtes à thé (*tea caddies*) furent importées de Chine et du Japon : il s'agissait à l'origine de simples pots de terre cuite dont le couvercle servait à mesurer le thé. Le thé étant une denrée coûteuse en Europe, la boîte à thé fut conçue comme un petit coffret pourvu d'une serrure dont la maîtresse de maison détenait seule la clef. Ces boîtes contenaient d'ordinaire deux compartiments (pour les thés vert et noir) et une coupelle où l'on effectuait les mélanges de thés ou dans laquelle on conservait le sucre (autre denrée précieuse). *Tea caddies* (ci-dessus) ; théières anglaises en céramique à couvercles d'étain, en terre cuite vernissée (ci-contre).

«C'était une belle femme, un peu solennelle, une parfaite *gentle-woman*. Elle avait pris sa vie comme elle prenait le thé – pas trop fort, parfumé avec goût, adouci par une quantité de lait et de sucre.» Henry James, *De Grey*, nouvelle extraite du recueil *Les Fantômes de la jalousie*. Deux Américaines prennent le thé de cinq heures, 1930 (ci-dessus). Théière 1925 (1) ; cuillère à infusion (2) ; cuillères à thé (3) ; gelée de thé (4) ; boule à thé en porcelaine pour infusion individuelle (5) ; service d'inspiration 1930 (6-7) ; sucre candi (8) ; sachets de mousseline (9) [pages précédentes].

verts (que les Japonais entreposent dans leur réfrigérateur). Si l'on s'approvisionne en grandes surfaces, vérifier les dates de fraîcheur qui doivent être inscrites sur les boîtes.

Reste à évoquer la question – très épineuse ! – du lait, du sucre et du citron. Pour les «vrais» amateurs, ces adjuvants sont autant de sacrilèges. Cependant, pour satisfaire aux goûts de chacun, on peut introduire quelques nuances.

Ainsi, comme nous l'avons dit, certains thés «supportent» un nuage de lait froid. Ce sont en général les thés noirs en feuilles brisées, corsés et puissants comme ceux d'Assam, de Ceylan ou d'Indonésie. Disons pour résumer que le lait convient – éventuellement – aux thés du matin. Mais pour les thés légers, du type Darjeeling, pour les thés fumés et, surtout, pour les thés verts et semi-fermentés, il est à proscrire absolument. Le citron, qui dénature le goût et décolore l'infusion, est toujours malvenu. En revanche, une fine rondelle d'orange peut parfois développer l'arôme d'un Assam ou d'un Ceylan.

Quant au sucre, si l'on ne peut vraiment pas s'en passer, on le réservera aux thés noirs de qualité courante, en préférant le sucre Candy blanc qui est le plus neutre. Ajoutons que la saveur sucrée se marie très agréablement au thé parfumé qui est lui-même une «friandise».

Il n'en demeure pas moins que le sucre – comme le lait – aura toujours de très ardents adversaires, ainsi qu'en témoigne cet extrait d'un article de l'écrivain George Orwell : «Ne jamais sucrer le thé [...]. On pourrait aussi bien y ajouter du poivre ou du sel ! Le thé est naturellement amer, comme la bière ; si on le sucre, ce n'est plus lui qu'on déguste mais le sucre qu'on y a mis ; on obtiendrait d'ailleurs un breuvage similaire en faisant fondre du sucre dans de l'eau très chaude.» À chacun sa tasse de thé !

Infuser le thé dans une théière élégante et le déguster dans un joli service demeura longtemps un luxe réservé à quelques-uns. Mais à partir de 1850, l'invention de la galvanoplastie – qui permet de reproduire un objet métallique à l'infini – ou la production en série des céramiques mirent le service à thé à la portée de tous. Par ailleurs, cette alliance de l'art et de l'industrie permit de rééditer, jusqu'à l'époque actuelle, les plus beaux objets du thé. On trouve ainsi, aujourd'hui, de parfaites rééditions des services conçus à l'usage de célèbres paquebots ou d'illustres palaces : pour prendre le thé... et rêver. *Hollywood 1932*, photographie de Michel Dubois pour une édition à tirage limité d'un ouvrage sur le thé réalisé à la demande de Betjeman and Barton.

GRANDS CRUS
ET THÉS DE TRADITION

Le traitement, la maturité et la forme de la feuille donnent le goût ; le cru donne le caractère. Chacun des grands types de thés peut être décliné à l'infini en fonction des caractéristiques originales de chaque terroir. Mais il est des crus plus prestigieux que d'au-tres où les bienfaits d'une nature complice, conjugués à des pratiques cultu-rales longuement éprouvées, don-nent des thés ad-mirables ; les plus renommés d'entre eux ne provien-nent que de cinq pays : Ceylan, la Chine, Formose, l'Inde et le Japon.

Kitti Cha Sangmanee, l'expert de la maison Mariage Frères dont il compose les mélanges exclusifs et pour laquelle il va chercher, au bout du monde, les thés les plus rares (ci-dessus, à gauche).

C e y l a n

Ceylan, «l'île du thé», produit essentiellement du thé noir caractérisé par sa liqueur ambrée, parfumée, au goût onc-tueux, astringent et corsé. Il s'accommode en général très bien d'un peu de lait froid et accompagne harmonieusement les petits déjeuners sucrés et les pâtisseries de l'après-midi. Les jardins de Ceylan produisent chacun un thé d'une saveur par-ticulière mais ils sont trop nom-breux pour être ici répertoriés. Nous avons préféré classer les diverses productions de l'île par grades de feuilles – hiérarchisés du plus léger au plus corsé – en indiquant les jardins tout parti-

1 - CEYLAN F. O. P.

2 - CEYLAN O. P.

3 - CEYLAN B. O. P.

4 - KEEMUN F. O. P.

5 - LAPSANG SOUCHONG

culièrement célèbres dans l'une ou l'autre de ces catégories.

Les Flowery Orange Pekoe. Très belles feuilles à pointes dorées qui donnent une infusion aromatique, douce, d'une gran-de distinction. Parmi les jardins produisant de grands F. O. P. : Berubeula, Allen Valley. Thés d'après-midi.

Les Orange Pekoe. Thés à feuilles longues et fines, plus fruités que les F. O. P. Issus des jardins de Pettiagalla ou de Kenilworth, ils sont remar-quables. Thés d'après-midi.

Les Flowery Pekoe. L'infusion est corsée et parfumée à la fois. Thés bien équilibrés, à choisir parmi les jardins de Dyraaba ou de Uva Highlands. Thés du matin et de l'après-midi.

Les Broken Orange Pekoe. Dans cette catégorie, les thés de Saint-James, Dimbula ou Uva Highlands sont hauts en goût, corsés et de grand caractère. Thés du matin.

Les Broken Orange Pekoe Fannings. Très corsés, ils peu-vent avantageusement remplacer le café. Le nuage de lait froid, toléré dans toutes les catégories précédemment citées, est ici vive-ment conseillé. Il faut recon-naître que l'association des Fan-nings et du lait est délicieuse. À choisir parmi les jardins d'Uva Highlands ou de Dyraaba. Thés du matin et thés de l'après-repas.

Jeune cueilleuse de Ceylan tenant dans sa main le petit rameau de thé issu d'une cueillette fine : juste deux feuilles et un bourgeon.

Chine

LES THÉS NOIRS DE CHINE, doux et faibles en théine, sont en général considérés comme des thés d'après-midi et de soirée. On ne leur associe en principe ni lait ni sucre, exception faite pour les Yunnan.

Les Keemun. Thés non fumés, renommés pour leur parfum d'orchidée, ces thés donnent une liqueur rouge et brillante. D'une saveur douce et sucrée, ils sont parfaits pour le soir. Par ailleurs, on les utilise fréquemment comme base pour les mélanges aromatisés.

Les Lapsang Souchong. Modérément fumés, ces thés sont élaborés à partir de grandes feuilles «Souchong» que l'on place au-dessus d'un brasier d'épicéas. Ils accompagnent agréablement les plats salés, épicés, ainsi que les fromages.

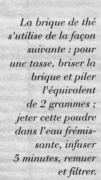

La brique de thé s'utilise de la façon suivante : pour une tasse, briser la brique et piler l'équivalent de 2 grammes ; jeter cette poudre dans l'eau frémissante, infuser 5 minutes, remuer et filtrer.

Les Yunnan. Thés non fumés, proposés en G.F.O.P. ou en T.G.F.O.P., ces thés sont les «Grands Seigneurs de la Chine». Ils associent, ce qui est assez rare, parfum et puissance, finesse et richesse de goût. Ronds et pleins, d'où leur surnom de «Moka du thé», longs en bouche et d'une belle liqueur dorée, ils supportent un nuage de lait et sont parfaits pour les petits déjeuners sucrés.

LES THÉS VERTS DE CHINE, comme ceux du Japon, ne supportent ni sucre, ni lait.

Dong Yang Dong Bai. L'un des meilleurs thés verts du monde. Il se distingue par son bouquet

6 - YUNNAN T.G.F.O.P.

7 - DONG YANG DONG BAI

8 - LUNG CHING

9 - PI LO CHUN

10 - SILVER DRAGON

fleuri, son goût moelleux, sa longueur en bouche et son infusion très claire.

Lung Ching, «puits du dragon». Ce thé célèbre donne une infusion superbe, couleur jade. Parfait à toute heure pour sa saveur exquise et ses arômes délicats. Mais plus particulièrement indiqué si l'on doit veiller tard : très vitaminé, il est tonifiant et a la réputation de maintenir l'esprit lucide.

Pi Lo Chun, «spirale de jade du printemps». Thé assez rare que l'on ne trouvera que chez les meilleurs négociants. Rond et doux, il faut le réserver pour les grandes occasions.

Silver Dragon, «dragon d'argent». Ce thé doit son nom au duvet argenté qui recouvre ses feuilles dont la forme évoque la silhouette d'un dragon. Son infusion est claire et limpide, son arôme intense, son goût sucré. Thé de la journée.

LE THÉ BLANC se distingue des thés noirs, verts ou semi-fermentés. Difficile à se procurer – car sa production est limitée –, il ne subit pratiquement aucune transformation : une fois cueilli, il est simplement flétri et séché. Son nom – qui est la traduction littérale de l'appellation chinoise – provient sans doute de la couleur très pâle de l'infusion. Par ailleurs, les qualités supérieures de ce type de thé se présentent sous la forme de bourgeons blancs dont la texture est comparable à celle des pétales de la fleur d'edelweiss. Le goût, subtil, requiert un palais très exercé et une initiation préalable aux saveurs «orientales» des thés verts et semi-fermentés.

Yin Zhen, «aiguilles d'argent». Ce thé blanc provient d'une cueillette dite «impériale», effectuée à l'aube, deux jours par an. La beauté de ses fins bourgeons argentés, sa saveur délicate et rafraîchissante en font l'un des thés les plus prestigieux – et les plus chers ! – du monde. À déguster, de préférence, l'été.

Pai Mu Tan. Cette qualité, plus courante que la précédente, permet d'apprécier la feuille de thé à l'état naturel : elle demeure telle qu'elle fut cueillie sur l'arbrisseau. Suave et fleuri, ce thé convient bien à l'infusion du soir.

Formose

Tarry Souchong. Élaboré selon les méthodes chinoises traditionnelles, ce thé noir est le plus fumé de tous. Réservé aux inconditionnels de ce goût très particulier, il accompagne bien les petits déjeuners salés et les *brunches*.

Gunpowder, «poudre à canon». Ce thé vert, dont les feuilles roulées en boules crépitent un peu en se déployant dans la théière, est généralement utilisé pour la préparation du thé à la menthe. Mais, bu nature, il est délicieux. L'infusion, jaune-vert, est désaltérante. C'est un thé de détente à boire l'après-midi.

LES THÉS SEMI-FERMENTÉS sont devenus la grande spécialité de Formose qui produit les meilleurs d'entre eux. Leur goût

11 · YIN ZHEN

12 · PAI MU TAN

13 · TARRY SOUCHONG

14 · GUNPOWDER

15 · OOLONG IMPERIAL

est en général plus subtil que celui des thés semi-fermentés élaborés en Chine. Ils se dégustent nature, sans lait, après ou pendant les repas et durant la journée. Faibles en théine, ils sont conseillés pour l'infusion du soir.

Oolong Imperial. C'est le meilleur des thés de la famille des Oriental Beauty ou Dragon noir. L'infusion est légèrement ambrée et on y reconnaît un goût de châtaigne et de miel. Très parfumé, c'est un grand thé du soir.

Grand Pouchong. Ce thé fait partie de la famille des Chinese Oolong ou thés qui ont subi un très faible degré de fermentation. L'infusion est d'une belle couleur dorée, l'arôme est délicat et le goût très subtil. Thé de la journée ou du soir.

Ti Kuan Yin, «déesse en fer de la Miséricorde». Très apprécié des Chinois qui lui attribuent des vertus bienfaisantes, ce thé a effectivement des propriétés digestives. Son infusion est ambrée, son goût est doux et son parfum assez développé.

Tung Ting. Autre thé de la famille des Chinese Oolong qui est un des plus renommés de Formose. L'infusion est rouge-orange, la saveur très douce. Thé de la journée ou du soir.

Thé chinois semi-fermenté, commercialisé sous la forme d'une galette de feuilles compressées ; petite théière chinoise de terre rouge.

I n d e

Les thés de l'Inde, comme ceux de Ceylan, sont des thés noirs de goût «occidental» et, par conséquent, proposent des saveurs corsées, des liqueurs bien colorées et toniques. Mais l'Inde produit également une grande variété de thés noirs plus subtils, d'une délicatesse comparable à celle des semi-fermentés de Chine ou de Formose. À ce titre, pour découvrir le goût du thé en général, les thés de l'Inde constituent une excellente initiation.

Les Assam. Puissants, maltés et d'une liqueur très foncée, ce sont, par excellence, les thés du matin. Ils supportent très bien un nuage de lait froid. L'Assam compte nombre de jardins fameux, parmi lesquels Thowra, Numalighur ou Napuk ; mais pour l'amateur, la différence d'un jardin à l'autre est d'autant plus difficile à saisir que le thé est très corsé.

Les Darjeeling. Ce sont les plus rares, les plus précieux des thés noirs. Généralement commercialisés en feuilles entières, dans les grades les plus fins (G.F.O.P., T.G.F.O.P., F.T.G.F.O.P.), ils proviennent de jardins aux noms prestigieux : Castleton, Bloomfield, Margareth's Hope, Namring ou Gielle. S'il est assez difficile de différencier un jardin d'un autre, on peut en revanche reconnaître la saveur particulière de chaque récolte. Car, à Darjeeling, le goût du thé varie selon les saisons. En général, ce sont des thés d'après-midi que l'on déguste nature, sans lait (sauf, parfois, s'ils sont proposés en «Broken»).

16 - GRAND POUCHONG

17 - TI KUAN YIN

18 - TUNG TING

19 - ASSAM T.G.F.O.P.

20 - DARJEELING F.O.P.

Les Darjeeling «first flush». Ce sont des thés de printemps récoltés en avril-mai. Très jeunes, leur infusion est claire et leur goût est celui du muscat vert. Attendus avec impatience par les amateurs – au même titre que le vin nou

veau –, ils font parfois l'objet de livraisons particulières, par avion. Thés de détente, pour l'après-midi.

Les Darjeeling «second flush». Récoltés en juillet-août, ces thés sont plus charpentés que les précédents ; l'infusion est brillante, le goût plein et rond avec une note de fruit mûr. Thés d'après-midi.

Les Darjeeling «in-between». Ce sont des thés intermédiaires, récoltés en juin, qui associent la verdeur des «first flush» à la maturité des «second flush».

Les Darjeeling «autumnal». Issus, comme leur nom l'indique, de la cueillette d'automne, ce sont des thés à grandes feuilles dont l'infusion est cuivrée et le goût rond. Ils peuvent être consommés en matinée avec, si l'on veut, un peu de lait froid.

Les Dooars. Thés de faible altitude, très colorés et corsés, mais moins puissants que ceux d'Assam. Ce sont des thés de la journée qui supportent très bien un nuage de lait froid.

Les Terai. Thés de plaine cultivés au sud de Darjeeling. L'infusion est colorée, le goût épicé et liquoreux. Ce sont des thés de la

Marchand de thé indien posant auprès de ses caisses ornées d'élégantes calligraphies.

journée et des thés de base utilisés pour les mélanges. Ils tolèrent un peu de lait froid.

Les Travancore. Cultivés dans la plus grande plantation du sud de l'Inde, ces thés donnent une infusion cuivrée, au goût corsé, très puissant. Ce sont des thés intermédiaires qui rappellent les thés du nord de l'Inde et annoncent ceux de Ceylan. Ces thés du matin peuvent s'accompagner de lait froid.

J a p o n

Le Japon produit exclusivement des thés verts. Faibles en théine et exceptionnellement riches en vitamine C, ces thés – digestifs et toniques – conviennent bien au repas et à l'après-repas. Mais ce sont aussi des thés de détente à boire nature, sans lait ni sucre.

Genmaicha. Spécialité typiquement japonaise. Il s'agit d'un thé vert de qualité courante, mêlé à du maïs soufflé et du riz grillé. À déguster, par curiosité, l'après-midi.

Gyokuro, «rosée précieuse». Ses feuilles plates, aiguës comme des aiguilles de pin et très vertes, sont aisément reconnaissables. C'est le plus raffiné des thés japonais ; son infusion est verdoyante, son goût suave et très long en bouche. Compte tenu de son prix, c'est un thé à réserver pour les grandes occasions.

Hojicha. Thé vert grillé dont les feuilles et l'infusion sont brunes. Très léger, très faible en théine, il accompagne agréablement les repas.

Matcha Uji, «mousse de jade liquide». Poudre de thé élaborée

21 · DOOARS T.G.F.O.P.

22 · TERAI T.G.F.O.P.

23 · TRAVANCORE F.B.O.P.

24 · GENMAICHA

25 · GYOKURO

à partir des feuilles de Gyokuro (mais il est d'autres Matcha, plus ordinaires, fabriqués avec des thés moins prestigieux). Dans ce cas précis, le Matcha Uji donne une boisson vert de jade, concentrée et nourrissante. Il est idéal pour le thé glacé, pour colorer et parfumer les sauces et les sorbets.

Sencha Honyama. Ce thé fait partie, comme le Gyokuro, des très grands thés japonais. Mais notons qu'il existe diverses catégories de Sencha qui ne sont pas toutes aussi prestigieuses que celle-ci. Dans ce cas précis, l'infusion est vert pâle, le goût frais et fleuri. C'est un thé de détente pour l'après-midi.

THÉS DU MONDE ENTIER

La production du thé s'est, depuis le XIXe siècle, répandue en Asie et hors d'Asie, au-delà des zones traditionnelles de culture, sur le continent africain, en Amérique du Sud, en Union soviétique ou au Proche-Orient. Dans ces régions, les pratiques culturales mériteraient d'être encore améliorées et, parfois, on y privilégie le rendement – comme en témoigne, en U.R.S.S. notamment, le recours à la

Rameau de théier en fleur. «La fleur est blancg-he et a la forme d'une rose composée de cinq feuilles. Quand la fleur passe dans l'arrière saison, on trouve sur la plante une baie, qui a la figure d'une noix charnue.»
J. B. Du Halde, 1735.

cueillette mécanique – au détriment de la qualité. Cependant, il faut reconnaître que certains de ces «nouveaux» producteurs sont aujourd'hui en mesure de proposer des thés capables de rivaliser avec les meilleures variétés de l'Inde ou de Ceylan. Il serait donc regrettable de se priver du plaisir de les découvrir. On raconte d'ailleurs qu'à la cour d'Angleterre, Sa Gracieuse Majesté serait devenue une inconditionnelle des productions camerounaises ; en matière de thés, on aurait tort d'être plus royaliste que la reine.

Notons que tous les thés dont nous donnons ci-après le descriptif, sont des thés noirs. La culture et la fabrication, si délicates, des thés verts et semi-fermentés restent l'apanage des pays où ces techniques ont été longuement éprouvées.

ARGENTINE. Moyennement corsés, avec un léger goût de terroir, ces thés donnent une infusion très foncée. Ils sont excellents le matin et l'on peut y ajouter un peu de lait froid.

BANGLADESH. L'infusion est foncée, le goût aromatique et légèrement épicé. Ce sont des thés de la journée, avec ou sans lait.

CAMEROUN. Grands thés, cultivés en altitude, qui donnent une infusion très colorée, à la saveur aromatique et maltée. Ils supportent un nuage de lait froid et sont, surtout en «Broken», parfaits pour le matin.

ÎLE MAURICE. Un goût de vanille caractérise ces thés qui conviennent bien à la première tasse du matin. Assez forts, ils s'accom-

26 - HOJICHA

27 - MATCHA UJI

28 - SENCHA HONYAMA

29 - BANGLADESH G.F.O.P.

30 - CAMEROUN F.B.O.P.

modent d'un peu de lait.

INDONÉSIE. Parfumés, légèrement corsés et d'une belle liqueur ambrée, ces thés sont assez proches de ceux de Ceylan. Parfaits pour le matin, surtout quand ils sont proposés en «Broken», on peut y ajouter un peu de lait froid.

IRAN. L'infusion, rouge, a la légèreté et la douceur des thés de Chine. Ce sont des thés d'après-midi à boire nature.

KENYA. Thés de qualité qui suggèrent ceux de l'Assam. L'infusion est dorée, le goût corsé et fruité. Parfaits pour le matin, ils supportent un nuage de lait froid.

MALAISIE. En feuilles brisées, ces thés – qui donnent une infusion forte et franche – sont conseillés pour le matin, avec du lait, si l'on veut.

NÉPAL. L'infusion brillante, au goût fin, subtil et légèrement fruité, rappelle les Darjeeling. Ce sont des thés de l'après-midi, à déguster nature.

SIKKIM. Grands thés cultivés sur les hauts plateaux de l'Himalaya. Comparables aux Darjeeling, dont ils sont géographiquement très proches, ces thés sont cependant plus corsés, avec une note de fruit mûr. Ceux qui proviennent des jardins de Temi sont excellents. Thés de l'après-midi, à savourer tels quels.

TURQUIE. Beaucoup de douceur et une saveur légèrement sucrée pour ces thés qui pourraient rappeler ceux de Chine. En feuilles entières, on les dégustera le soir, nature.

U.R.S.S. On commet souvent l'erreur de confondre le thé russe avec le Goût russe qui est en fait un mélange parfumé constitué de thés d'Inde et de Chine aromatisés aux agrumes. Les «véritables» thés russes proviennent en général de Géorgie et donnent une infusion foncée, au goût légèrement corsé et fleuri. En feuilles entières, ce sont d'honnêtes thés d'après-midi ou du soir ; en «Broken», ce sont des thés du matin qui supportent un nuage de lait froid.

MÉLANGES CLASSIQUES

Chaque vin doit son originalité à son maître de chais qui sait marier avec exactitude le goût des divers cépages. À l'identique, le dégustateur de thé ou *tea taster* est expert dans l'art des mélanges (ou *blends*). Ainsi, les professionnels des grandes marques commerciales associent des thés de différentes qualités afin d'obtenir des produits standardisés, au goût immuable et, surtout, d'un prix constant. Ce sont les mélanges les plus «prosaïques». Car parfois les *tea tasters* – comme les «nez» de nos grands parfumeurs – imaginent de nouveaux arômes et créent des saveurs absolument inédites. Il s'agit, par exemple, en associant plusieurs grands jardins issus d'une même origine, d'obtenir l'équilibre idéal, la perfection du goût et des couleurs. Mieux encore, les meilleures maisons, en do-

Jacques Jumeau-Lafond, l'un des plus grands experts français du thé, président de la société Dammann et auteur de célèbres ouvrages sur l'histoire et le goût du thé.

31 - INDONESIE T.G.F.O.P.

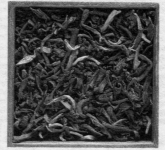

32 - KENYA G.F.O.P.

33 - NEPAL G.F.O.D.

34 - SIKKIM T.G.F.O.P.

35 - TURQUIE B.O.P.

sant les crus les plus divers, en mariant l'Inde à la Chine, le vert et le noir, le doux et le corsé, parviennent à proposer des thés dont l'origine devient indécelable. Il n'est plus qu'à s'émerveiller de cette subtile alchimie qui, dans la tasse, crée la surprise.

Les mélanges dits «classiques», qui conjuguent la saveur de divers thés, sont les plus difficiles à réaliser, bien plus délicats encore que les mélanges parfumés qui associent au thé des essences naturelles, des arômes de fleurs, de feuilles ou de fruits. Mais l'amateur, avec un peu d'expérience, peut cependant s'y essayer. Il n'y a pas de recettes : muni d'une balance et d'une bonne dose d'intuition, il faut seulement se soumettre à quelques règles. On évite tout d'abord de mélanger des thés de grand caractère qui se détruiraient les uns les autres. Il convient de choisir une base neutre, un thé de Chine, comme le Keemun, un thé africain ou d'Inde du Sud (Nilgiri, Dooars), qui n'ont pas de personnalité trop affirmée et qui donneront à l'infusion une belle couleur. Après quoi on y ajoutera des notes plus fines et particulières : un peu de Lapsang Souchong pour le goût fumé, ou bien un soupçon de Darjeeling pour sa saveur de fruit sec et de muscat, à moins que l'on ne préfère y glisser quelques grammes de thé vert qui apporteront la fraîcheur et éclairciront l'infusion. Mais, avant tout, il est important de savoir pour quelle heure du jour, pour quel moment de détente, ce thé est destiné. À ce titre, les deux mélanges classiques dont nous donnons ici la composition seront d'une aide précieuse.

English Breakfast. Thé à petites feuilles généralement composé de Broken Orange Pekoe de Ceylan, avec une note d'Assam ou de Darjeeling, ou encore de thé d'Afrique ou d'Inde du Sud. Ce mélange très britannique se déguste bien sûr avec un nuage de lait et accompagne agréablement les toasts, le miel et les confitures. Idéal pour le petit déjeuner, c'est également une boisson tonifiante pour toute la matinée.

Five O'Clock Tea. Il s'agit encore d'un mélange typiquement anglo-saxon qui marie des thés de Ceylan en feuilles entières (O.P., F.O.P.). Très légèrement corsé, ce thé donne une infusion claire et aromatique. On peut ajouter du lait, mais on s'en passerait sans dommages... C'est un thé d'après-midi à consommer seul ou associé aux friandises et pâtisseries du goûter.

THÉS PARFUMÉS

L'engouement pour les thés parfumés qui, dans les années soixante-dix, saisit surtout le public français, allemand et suisse, donna lieu à une véritable explosion d'arômes les plus divers – et parfois les plus incongrus – qui ne cessa de faire frémir les puristes. Au point que l'on en oublie parfois – dans ce bric-à-brac où la rhubarbe côtoie la pistache, la noix de coco ou le chocolat – que les thés parfumés procèdent d'une tradition orientale extrêmement raffinée. Dans ce domaine, il existe aussi de grands

36 · U.R.S.S. O.P.

37 · FIVE O'CLOCK TEA

38 · EARL GREY

39 · THÉ AU JASMIN

40 · THÉ À LA ROSE

classiques qui, surtout lorsqu'ils sont dégustés le soir, sont un véritable enchantement. Le sucre peut exalter ces parfums, mais le lait serait très malvenu.

Earl Grey. Thé de Chine ou de Darjeeling (mais on trouve désormais cette qualité en thés vert ou semi-fermenté), parfumé à la bergamote, dont la vogue fut lancée par un certain comte Grey, homme d'État britannique.

Thés au jasmin ou à la rose. Les meilleurs de ces thés, originaires de Chine, sont élaborés sur la plantation selon des recettes ancestrales. On mêle au thé des fleurs fraîchement cueillies jusqu'à ce que celui-ci s'imprègne de leur arôme. Après quoi, que l'on retire les fleurs ou non influe peu sur le parfum du thé ainsi obtenu. Mais avouons que rien n'est plus ravissant que de découvrir quelques pétales parmi les feuilles de thé.

Goût russe. Particulièrement prisé, au XIXe siècle, par la bonne société russe, ce thé, traditionnellement originaire de Chine, est parfumé aux arômes de bergamote et de divers agrumes.

La dégustation des thés a été réalisée avec la maison Mariage Frères.

DÉLICES AU THÉ

En Occident, on n'a pas encore l'habitude d'associer le thé à la gastronomie. Bien sûr beaucoup d'entre nous se sont accoutumés, en fréquentant les restaurants chinois, à l'idée de déguster des mets exotiques accompagnés de thé au jasmin ; ce n'est là qu'une pâle illustration des multiples possibilités qu'offre le thé dans ce domaine. Car on peut tout à fait imaginer, à l'occasion d'un repas occidental et insolite, de ne boire que du thé et de sélectionner les crus – comme on le fait habituellement avec les vins – en fonction du menu. Un thé vert ou un thé fumé se marieront bien au poisson ; un Earl Grey, un Darjeeling ou un Oolong accompagneront agréablement une volaille ; et quand arrivent les desserts, on peut choisir parmi tous les thés à grandes feuilles, fins, légers, parfumés. Il n'est pas, en l'occurrence, de règles précises. Il suffit d'un peu de fantaisie et de gourmandise.

Par ailleurs, en cuisine, le thé se prête à d'intéressantes combinaisons. Elles ne sont pas nombreuses car la saveur subtile du thé risque toujours d'être étouffée par d'autres ingrédients, plus forts en goût. Il existe cependant quelques recettes, délicates, raffinées, qui méritent d'être essayées.

Sauce Earl Grey
Ingrédients : 1/4 de litre de fond de volaille (utiliser les bouillons culinaires – Knorr ou Maggi –), 1 cuillerée à soupe de crème fraîche épaisse, 2 cuillerées à café de sucre, 20 g de thé Earl Grey, quelques gouttes de jus de citron, sel et poivre.
Faire infuser le thé 3 minutes dans le fond de volaille (préalablement porté à ébullition) puis passer au chinois. Mélanger le sucre à l'infusion et faire réduire. Ajouter le citron et la crème fraîche et faire réduire à nouveau, à feu très doux, tout en battant vivement le mélange pour qu'il soit bien mousseux. Saler et poivrer.
Cette sauce accompagne agréablement les volailles et, en particulier, les magrets de canard.

Sauce Matcha
Il existe plusieurs sortes de thés Matcha (ou thé vert japonais réduit en poudre). Il en est de plus ou moins grande qualité mais, pour la cuisine et bien qu'il soit un peu onéreux, préférez le Matcha Uji qui est d'une couleur exceptionnelle (vert jade très lumineux).
Ingrédients : 1/4 de litre de fumet de poisson (utiliser les bouillons culinaires, comme indiqué dans la recette précédente), 5 g de poudre de Matcha (pas d'avantage ! le goût est très prononcé), quelques gouttes de citron, 75 g de crème fraîche épaisse, sel et poivre.
Fouetter sur feu doux le fumet de poisson, le Matcha, le citron et la crème jusqu'à obtention d'une sauce bien mousseuse. Saler et poivrer. Avec des filets de truite de mer ou de saumon, cette sauce est délicieuse.

Gelée de thé
Il faut, de préférence, utiliser des thés noirs parfumés comme le Earl Grey ou le Goût russe, par exemple. Le Tarry Souchong convient très bien si l'on aime le goût fumé.
Ingrédients : 1 litre de thé infusé, 1 kg de sucre de canne (on peut réduire à 750 g si l'on préfère une gelée moins sucrée), 50 g de pectine de pomme et le jus d'un citron et demi.
Porter le thé infusé à ébullition. Y ajouter le sucre, la pectine et le jus de citron. Faire bouillir à nouveau et maintenir à ébullition durant 4 minutes. Mettre en pots. Fermer avec une feuille de cellophane et laisser refroidir.
Cette gelée de thé dont la recette nous a été communiquée par la maison Mariage Frères, se déguste comme les gelées de fruits : sur des tartines de pain grillé, sur des muffins ou des *scones*, au petit déjeuner ou à l'heure du goûter.

Glace au thé noir
Pour quatre personnes : 1/2 litre de lait, 5 jaunes d'œuf, 150 g de sucre et 20 g de thé Uva Highlands (célèbre jardin de Ceylan).
Mettre à bouillir la moitié du lait. Pendant ce temps, incorporer le sucre aux jaunes d'œuf, en battant au fouet jusqu'à blanchissement du mélange. Ajouter peu à peu le lait froid restant. Faire infuser le thé dans le lait chaud pendant 4 minutes, retirer les feuilles, puis verser sur

Nature morte autour du thé vert réalisée au salon de thé Mariage. Mont Fuiji, mœlleuse mousse au thé vert du Japon, poudre de thé vert Matcha Uji et Cha Sen, fouet destiné à battre ce thé, spatule à thé en écorce de cerisier. A l'arrière plan : crème brulée au thé noir, gelée de thé, bougie parfumée au thé, natte de thé et brique de thé noir. Le document concerne l'importation de thé pour la maison Mariage frères en 1888.

la crème aux œufs, en fouettant bien.

Verser le tout dans une casserole et faire cuire à feu très doux pendant 5 minutes, sans cesser de tourner avec une cuillère en bois.

Faire refroidir avant de mettre en sorbetière.

Granité de thé

Pour huit personnes : 100 g de Ceylan Orange Pekoe, 200 g de sucre semoule, 2 cuillerées à soupe de lait en poudre et 5 cl de rhum blanc.

Faire infuser le thé, durant 10 minutes, dans un litre d'eau bouillante. Retirer les feuilles et ajouter 150 g de sucre à cette infusion ; bien remuer. Verser dans un moule et placer au freezer. Lorsque de petits glaçons apparaissent à la surface du liquide, sortir le moule et passer au mixer en ajoutant le lait en poudre. Remettre au freezer durant 10 minutes et mixer à nouveau : il faut répéter cette opération une dizaine de fois, jusqu'à ce que la préparation prenne l'apparence d'une crème. On y ajoute alors le rhum et le reste du sucre. Mixer une dernière fois, remettre un instant au freezer et servir aussitôt dans des coupes individuelles.

Glace au thé vert

Pour huit personnes : 1/2 litre de crème épaisse (soit environ 500 g), 1/2 litre de lait, 175 g de sucre, 1 pincée de sel et 17 g de thé vert en poudre (Matcha Uji de préférence).

Mélanger les ingrédients jusqu'à dissolution du sucre. Verser dans un bac à glace.

Mont Fuji

Pour cette recette, on conseille d'utiliser le Matcha Uji dont la couleur est si belle. Mais on peut aussi réaliser cet entremets avec du Ceylan ou de l'Assam en feuilles brisées ; dans ce cas cependant, la couleur est moins attrayante.

Pour six personnes : 1/4 de litre de lait, 70 g de sucre en poudre, 6 jaunes d'œuf, 3 feuilles et demie de gélatine, 12 g de thé Matcha et 25 cl de crème fleurette.

Faire tout d'abord une crème anglaise : mélanger les œufs et le sucre jusqu'à blanchissement ;

faire chauffer le lait et y ajouter le mélange précédent puis laisser cuire à feu doux sans cesser de remuer avec une cuillère en bois.

Quand la crème anglaise est onctueuse, la retirer du feu et y ajouter le Matcha ainsi que la gélatine qui aura été préalablement ramollie dans de l'eau fraîche. Bien laisser refroidir (important). Puis ajouter délicatement la crème fleurette montée en chantilly.

Répartir ce mélange dans des moules individuels et mettre au frais durant 24 heures.

Thés glacés

Le thé, consommé glacé, est une boisson exceptionnellement rafraîchissante et tonique. Mais, dans ce cas, on ne l'infuse pas dans de l'eau chaude : en effet, en se refroidissant, le thé se trouble et devient peu engageant. Pour obtenir une boisson pure et limpide, infuser le thé dans de l'eau froide et laisser au réfrigérateur 12 heures durant. Après quoi on peut boire ce thé pur, avec des glaçons, ou bien le combiner avec d'autres ingrédients pour composer des cocktails.

Cocktail Sakura

Le thé employé pour ce cocktail – et baptisé ici «Sakura impérial» – est un thé vert Sencha parfumé aux fleurs de cerisier du Japon. On peut bien sûr utiliser d'autres thés, pourvu qu'ils soient aromatiques.

Composition : champagne, sirop de sucre de canne, cerises confites et thé Sakura impérial (50 g pour 1 litre).

Faire infuser le thé à froid. Sucrer à volonté avec le sirop de sucre. Givrer la flûte à champagne, y déposer une cerise confite, verser 1/3 de thé et 2/3 de champagne. Servir très frais.

Cocktail Tea-Clipper

Composition : jus de pomme frais, thé à la cannelle (50 g pour un demi-litre), glaçons.

Givrer un grand verre à cocktail ; disposer des glaçons au fond du verre et y verser 1/3 de thé infusé à froid. 2/3 de jus de pomme. Décorer avec une rondelle de citron vert et servir glacé.

GUIDE DE L'AMATEUR

«Le thé évoque la quiétude des chambres, la chaleur des isbas, la discrétion des homes anglais… Les insulaires en raffolent, mais aussi les continentaux assignés à une convivialité hivernale» écrivait Jean-Paul Aron dans sa préface au livre de Bernachon sur le chocolat.
Certes, des deux côtés du *Channel*, le thé est apprécié et s'il est "l'affaire des anglais", comme l'affirmait Charles Laughton dans le film de Leo Mc Carey, *L'Extravagant Mr Ruggles*, il semble bien que ce soit devenu un cliché maintenant et que le thé soit bien devenu aussi "l'affaire des français". Dans ce guide, nous avons donc choisi de vous présenter un choix d'adresses de salons et de boutiques de thé à Paris et à Londres mais afin que la province ne soit pas oubliée, nous avons établi une liste des marques de thé les plus distribuées en France en précisant pour chacune les boutiques où l'on peut se les procurer de même que leurs spécialités.

LES SALONS DE THÉ

Parmi les innombrables lieux appelés «salons de thé», nous avons sélectionné les salons qui proposent un vaste choix de thés ou des thés rares, et dont le cadre a un charme tout particulier.

PARIS

ANGELINA
226, rue de Rivoli,
75001 Paris, tél. : 42 60 82 00.
Palais des Congrès (3e niveau),
24, boulevard Pershing,
75017 Paris, tél. : 40 68 22 50.
Galeries Lafayette (3e étage),
27, rue de la Chaussée-d'Antin,
75008 Paris, tél. : 42 82 30 32.
Dans le décor classé de la rue de Rivoli, on déguste quatre sortes de thé, Lapsang Souchong et Darjeeling, servis dans des théières en argent. Le Darjeeling est une curiosité, car Angelina a poussé le raffinement jusqu'à avoir l'exclusivité d'un «jardin». Dans la boutique, on peut acheter l'un des onze thés Angelina.

À PRIORI THÉ
35-37, galerie Vivienne,
75002 Paris, tél. : 42 97 48 75.

Dans une calme et vaste salle aux harmonies de beiges, dans la clarté du passage, les habitués déjeunent ou dégustent l'un des seize thés classiques ou parfumés de ce salon. C'est aussi l'un des rares salons qui propose un thé vert parfumé à la menthe.

L'ARBRE À CANELLE
57, passage des Panoramas,
75002 Paris, tél. : 45 08 55 87.
Le beau péristyle de cette façade Napoléon III attire les curieux du passage et les gourmands. C'est dans ce cadre fraîchement restauré que l'on peut venir déjeuner, ou simplement boire les quinze thés proposés. La carte est accompagnée d'explications précises sur chacun des thés. Pour l'après-midi, le Makaibari de Darjeeling ou un Ceylan excellents.

BOISSIER
184, avenue Victor-Hugo,
75016 Paris, tél. : 45 04 87 88.
Blanc, bleu, lignes épurées pour le décor de cette maison vieille de plus d'un siècle. On y sert seize sortes de thé dans des théières en argent, à

tous les repas. Assam G.F.B.O.P., Chung Hao Jasmin ou Orange Amère, les thés sont aussi vendus sur place dans de petites boîtes bleues de 25 et 125 g ou en vrac. Une sélection de quatre thés est proposée en sachets de mousseline.

LA CHARLOTTE EN L'ISLE
4, rue Saint-Louis-en-l'Isle,
75004 Paris, tél. : 43 54 25 83.
Souvenirs exotiques, étoffes multicolores, ce petit grenier fait le charme des après-midi nostalgiques. La carte des thés est un vrai trésor. Classiques ou «inédits», les trente-deux thés sont servis dans des théières japonaises en fonte.

LA COUR DE ROHAN
59-61, rue Saint-André-des-Arts,
75005 Paris, tél. : 43 25 79 67.
Réputé pour son charme, élégant et confortable, ce salon douillet s'intéresse de près au thé : il y a même parmi les dix-huit thés, un mélange Cour de Rohan créé par la propriétaire. Tout est servi dans de la porcelaine ancienne et le samedi on peut y venir jusqu'à une heure avancée.

LADURÉE
16, rue Royale,
75008 Paris, tél. : 42 60 21 79.
Ce joli salon de thé au décor typiquement XIXe siècle et aux plafonds peints est réputé pour ses macarons, que l'on accompagnera d'un des trois thés tout simples de Betjeman and Barton.

LES ENFANTS GÂTÉS

43, rue des Francs-Bourgeois, 75004 Paris, tél. : 42 77 07 63.
Galerie d'art et club anglais, c'est dans le confort que l'on choisit son thé. La serveuse, théophile avertie, apporte une carte aux commentaires clairs et intéressants. Darjeeling des Hauts-Plateaux, Keemun ou thés fantaisie accompagnent ici l'heure du thé ou du brunch.

FANNY TEA

20, place Dauphine, 75001 Paris, tél. : 43 25 83 67.
Fanny Tea offre l'une des plus jolies vues de la place Dauphine. L'atmosphère du salon est délicate ; sur chacune des tables un bouquet de fleurs et un livre de poésie accompagnent l'attente. Douze sortes de thés dont un beau choix de Chine.

L'INTERCONTINENTAL

3, rue de Castiglione, 75001 Paris, tél. : 47 77 11 11.
Dans le Lobby Bar où joue une harpiste ou sur la terrasse, c'est l'heure du thé anglais. Un beau choix de sept thés servis dans de la porcelaine de Wedgwood. En accompagnement, *muffins*, *scones*, cakes, la *clotted cream* du Devonshire, sandwichs aux concombres… Tout y est.

LE LOIR DANS LA THÉIÈRE

3, rue des Rosiers, 75004 Paris, tél. : 42 72 90 61.
Confortablement installé dans un fauteuil ou un canapé, entouré de vieilles armoires et devant une fresque d'*Alice au Pays des Merveilles*, on oublie le temps en buvant l'un des trente-sept thés de la carte, très riche en variétés parfumées.

MAISON BLANCHE 15 MONTAIGNE

15, avenue Montaigne, 75008 Paris, tél. : 47 23 55 99.
Pour prendre un thé dans le plus spectaculaire des décors parisiens ; celui de ce restaurant créé sur le toit du théâtre des Champs-Élysées (terrasse en été). Un choix de onze thés rares dont le thé vert Sencha Ariake et le thé rouge Bourbon, venu d'Afrique. Sans théine. Servis avec des *scones* et des muffins.

MARAIS PLUS

20, rue des Francs-Bourgeois, 75003 Paris, tél. : 48 87 01 40.
Une librairie, des théières et des objets insolites. Des thés aux fruits et des tartes variées.

MARIAGE FRÈRES

30-32, rue du Bourg-Tibourg, 75004 Paris, tél. : 42 72 28 11.
13, rue des Grands-Augustins, 75006 Paris, tél. : 40 51 82 50.
Au-delà de l'ancestral comptoir des thés de chacune des fameuses maisons Mariage, s'est ouvert un salon de thé. Dans le Marais, sous la verrière tout rappelle la douceur des colonies. Derrière le bar, l'un des spécialistes prépare et goûte chacun des thés. Si vous ne savez que choisir, l'un des jeunes «boys» vêtus de lin blanc vous guidera avec une belle érudition à travers la carte des trois cent cinquante thés (et plus selon les arrivages). On se laisse séduire par le thé blanc de Fujian (réservé aux connaisseurs). Les gelées de thé, le chariot des tartes délicieuses ou une mousse au thé. Rue des Grands-Augustins, dans une demeure classée du XVIIᵉ siècle, on peut choisir de prendre le thé dans une cave voûtée où sont évoqués les «quais aux thés» des temps coloniaux, ou bien au premier étage dans un élégant salon aux hautes fenêtres. Le brunch du dimanche est très couru aux deux adresses.

LE MEURICE

228, rue de Rivoli, 75001 Paris, tél. : 42 60 38 60.
Dans le très beau décor du salon Pompadour, cet hôtel propose une carte d'une quinzaine de thés, classiques ou parfumés. Ils sont servis dans des théières en argent, accompagnés de toasts, cakes ou petits fours.

LA MOSQUÉE

19, rue Geoffroy-Saint-Hilaire, 75005 Paris, tél. : 43 31 18 14.
Un endroit unique dans Paris, où l'on sert un thé à la menthe traditionnel, en hiver dans un superbe décor oriental et en été dans la fraîcheur d'un patio.

PANDORA

24, passage Choiseul, 75002 Paris, tél. : 47 42 07 19.
Entrez dans le passage Choiseul, derrière les rideaux du 24 et au fond d'un corridor se cache une verrière décorée dans le style orientaliste. On y offre vingt sortes de thé. Ceylan Afternoon, Darjeeling G.F.O.P. et Goût Russe sont très appréciés. En été, ces thés peuvent être servis glacés.

LE PLAZA ATHÉNÉE

21, avenue Montaigne, 75008 Paris, tél. : 47 23 778 33.
Dans la galerie des Gobelins, au son du piano, un choix de quatre thés. Et au Relais Plaza, dans le décor reconstitué du restaurant du *Normandie* et au son de la harpe, vingt-trois thés, dont le Mélange Secret du Plaza, accompagnent un vrai thé à l'anglaise, avec crème fleurette, *toasted buns*, *scones* et mini-sandwichs.

HÔTEL RITZ

15, place Vendôme, 75001 Paris, tél. : 42 60 38 30.
Dans le bar Vendôme, au fond d'un canapé, ou, en été, sur la belle terrasse, tous les jours vers 16 heures c'est le thé à l'anglaise. Douze thés, dont un bon thé vert et un déthéiné, sont servis avec sandwichs, petits fours et muffins chauds accompagnés de sirop d'érable et de marmelades.

ROSE THÉ

91, rue Saint-Honoré, 75001 Paris, tél. : 42 36 97 18.
Le village Saint-Honoré est un passage d'antiquaires inconnu des touristes. Au cœur de ce village, le Rose Thé, déploie ses théières. Seize thés parfumés et dix thés nature sont à effeuiller, parmi eux le Rose Thé, mélange exclusif parfumé de jasmin, de lotus et de la très suave rose de Bulgarie.

TEA CADDY

14, rue Saint-Julien-le-Pauvre, 75005 Paris, tél. : 43 54 15 56.
Face à la ravissante petite église, ce salon très britannique n'a pas changé depuis sa création en 1928 par Miss Kinklin. Les derniers généraux de l'armée de l'Inde y évoquaient leurs souvenirs. On peut y boire

avec nostalgie une dizaine de thés : Goût Russe, Lapsang Souchong et bien sûr Assam et Darjeeling accompagnés de délicieux gâteaux maison.

LE THÉ AU FIL

80, rue Montmartre,
75002 Paris, tél. : 42 36 95 49.
Un salon au décor minimaliste, où l'on trouve une des plus belles cartes de la capitale. Une trentaine de thés servis dans de la porcelaine blanche, parmi lesquels l'Orange Pekoe, le Darjeeling B.O.P. et le Tarry Souchong sont les plus goûtés.

THÉ COOL

10, rue Jean-de-Bologne,
75016 Paris, tél. : 42 24 69 13.
Devant une exposition de tableaux à déjeuner, pour un brunch ou bien à 17 heures, voici une belle carte de vingt-cinq thés. Qu'ils soient verts (Mandarin, Gunpowder), de Chine, de Formose, d'Inde ou parfumés, ils sont tous servis dans des théières japonaises en fonte.

TORAYA

10, rue Saint-Florentin,
75001 Paris, tél. : 42 60 13 00.
Fournisseur de Sa Majesté l'Empereur du Japon depuis quatre siècles, la maison Toraya s'est installée à Paris dans un décor de laques noires et de bambous. Elle propose deux thés verts, un Sencha et un Matcha préparés selon les règles, accompagnés d'un *Zangetsu* ou d'une autre pâtisserie sculptée dans l'*azuki* (fèves japonaises). Les deux thés, directement importés du Japon, sont aussi en vente dans une boutique attenante au salon.

THÉ À LA JAPONAISE

À Paris, les personnes qui souhaitent s'initier à la cérémonie du thé, ou se documenter sur ce rite, peuvent prendre contact avec la Fondation Urasenke, 142, boulevard Masséna- Apt 12.11, 75013 Paris, ou bien prendre rendez-vous pour un mardi ou un dimanche matin aux jardins Albert-Kahn, où le thé est servi dans le pavillon ancien, créé en même temps que ce jardin (tél. : 46 04 52 80).

LONDRES

BROWN'S HOTEL

Albermale Street, London
WIA 4SW, tél. : 71 493 6020.
Situé à deux minutes de Hyde Park, le Brown's est réputé pour son thé. Dès 15 heures on fait la queue pour accéder au salon aux boiseries foncées et aux fauteuils de chintz fleuri car on ne peut y réserver une table. On vient y boire un Darjeeling, un Keemun, un Gunpowder ou un

Brown's Blend accompagné de *clotted cream*, sandwichs, toasts et pâtisseries.

CLARIDGE'S

Brook Street, Mayfair, London
W1A 2JO, tél. : 71 629 8860.
Dans un très beau décor 1925 qui vaut une visite, on prend le thé dans la *Reading Room*. Il est préférable de réserver.

HOTEL RITZ

Piccadilly, London W1,
tél. : 71 493 8181.
Au Palm Court, le thé est servi dans un superbe décor du XIXᵉ siècle. L'élégance du service est célèbre, tout autant que la variété des petits sandwichs au concombre, au saumon, à la dinde... La *clotted cream* et les confitures de fraises accompagnent les *scones*. Il est nécessaire de réserver si l'on ne réside pas à l'hôtel.

HOTEL SAVOY

The Strand, London WC2R OEU,
tél. : 71 836 4343.
Le thé au Savoy est un grand moment de la vie londonienne. Un personnel stylé et aimable dispose sur des tables de rotin théières et gâteaux que l'on déguste devant une fresque en trompe l'œil ou en contemplant la Tamise.

HOTEL WALDORF

Aldwych, London WC2B 4DD,
tél. : 71 836 2400.
Le jardin d'hiver du Palm Court Lounge avec ses palmiers et son orchestre préserve la tradition britannique du thé dansant. Entre deux valses on boit un Earl Grey, Darjeeling, Lapsang Souchong ou un mélange spécial accompagné de sandwichs et pâtisseries.

MAIDS OF HONOUR

Newens 288 Kew Road,
Kem Gardens, Richmond, Surrey,
tél. : 81 940 2752.
Un des plus anciens salons de thé de Grande-Bretagne. Un passage obligé donc, pour tous les historiens dans l'âme et les amateurs de thé.

MAISON SAGNE

105 Marylebone High Street, London
W1M 3DB, tél. : 71 935 6240.
Une pâtisserie des années vingt au décor pompéien en plein cœur de Marylebone. D'excellentes pâtisseries : tartes aux fraises, gâteaux aux noix, au chocolat ou à la praline, croissants et petits pains anglais accompagnent ce thé plutôt continental.

TEA HOUSE AT COLLEGE FARM

5 Fitzalan Road Finchley,
London NW3, tél. : 71 349 0690.
Un agréable salon, récemment restauré. On y déguste thés et pâtisseries dans un beau décor 1925.

TEA TIME

21 The Pavement Clapham,
London SW4, tél. : 71 622 4944.
Créé par Jane Pettigrew, célèbre auteur du livre *Tea Time*, ce salon connaît une certaine vogue. On y boit de nombreuses variétés de thé servies avec des pâtisseries réalisées selon les recettes originales de la propriétaire.

LES BOUTIQUES DE THÉ

Où acheter le thé, par qui se faire conseiller, quel est le meilleur spécialiste des thés russes ou japonais, où trouver un grand choix de théières ? Voici, en guise de réponse, quelques adresses de qualité.

PARIS

BETJEMAN AND BARTON
23, boulevard Malesherbes, 75008 Paris, tél. : 42 65 86 17.
24, boulevard des Filles-du-Calvaire, 75003 Paris, tél. : 40 21 35 52.
Une boutique fréquentée par de nombreux amateurs de thé. Chaque jour l'un des cent vingt thés présentés dans les boîtes vertes ou rouges, et décrits dans le catalogue de la maison, est offert en dégustation et peut-être arriverez-vous le jour du Saint-James Fannings ou du Castelton «second flush» G.F.O.P. On trouvera aussi des théières, passoires, boules à thés, fouets pour le Matcha, boîtes en fer et en laque, *tea caddies* en bois précieux, ainsi que les quatre variétés en sachets de nylon, une exclusivité de Betjeman and Barton, qui préservent toutes les saveurs du thé. On peut aussi acheter *scones*, *crumpets*, muffins, *minced pies* et gelées de thé. La société

est dirigée par Didier Jumeau-Lafond, grand expert et auteur (voir la bibliographie). Ces marchands de thé, à Paris depuis 1919, et qui exportent vers le Japon, l'Australie, les États-Unis…, vous proposeront le «petit livre du thé», un catalogue, très bien fait.

BRÛLERIE DE L'ODÉON
6, rue Crébillon,
75006 Paris, tél. : 43 26 39 32.
La plus ancienne torréfaction de Paris, mais aussi le plus important dépositaire des thés Fortnum and Mason. On trouve en boîte une vingtaine de mélanges de la marque et en sachets les Royal Blend, Earl Blend, Jasmin, Orange Pekoe, Darjeeling et Breakfast. Il y a aussi vingt thés en vrac dont le Breakfast, le Royal Blend et le Fortmason. Quelques tables sont réservées à la dégustation.

COMPAGNIE ANGLAISE DES THÉS
11, rue de Ponthieu,
75008 Paris, tél. : 43 59 25 26.
Fondée en 1823, fournisseur en son temps de Napoléon III, cette minuscule maison est à deux pas du rond-point des Champs-Élysées. Dans un décor de boiseries anciennes, on trouve une centaine de thés, dont de grands jardins de Darjeeling, le fameux Thé au Lotus et un Paklum de Chine. Également de nombreuses théières fantaisie, et un Darjeeling en sachets de mousseline. On peut

aussi y commander son mélange personnel. Filiales rue Lecourbe et au Forum des Halles.

LES CONTES DE THÉ
60, rue du Cherche-Midi,
75006 Paris, tél. : 45 49 45 96.
Voici une boutique où les Ceylan, Assam, Darjeeling et Chine sont bien représentés, et où l'on trouve aussi du

thé du Brésil ou de l'île Maurice. Parmi les quatre-vingt-cinq thés, l'insolite japonais Hojicha vert, grillé et très léger, à prendre pendant les repas, a un goût inimitable. Vendus en sachets, un grand choix de thés parfumés importés d'Angleterre. Trois cent cinquante théières surtout excentriques, des *tea caddies*, des samovars et un grand choix de *tea cosies* pour tenir les théières au chaud.

L'ÉPICERIE
51, rue Saint-Louis-en-l'Isle,
75004 Paris, tél. : 43 25 20 14.
Une épicerie «à l'ancienne» qui propose – dans un décor de boiseries et d'étagères regorgeant de miels, confitures et autres friandises – une excellente sélection de thés noirs classiques vendus en vrac ou dans de jolies boîtes de métal bleu. On y trouve également cinq mélanges exclusifs, de caractère plutôt «britannique» et convenant bien à l'heure du petit déjeuner ou du brunch.

ESTRELLA
34, rue Saint-Sulpice,
75006 Paris, tél. : 46 33 16 37.
Une toute petite boutique qui pro-

pose cent vingt variétés de thés en vrac ainsi que des thés en boîtes de 125 g. Estrella créé ses propres mélanges aromatisés et offre aussi une douzaine de Darjeeling. Également des thés Fortnum and Mason ou Jackson's of Piccadilly.

FAUCHON
28, place de la Madeleine,
75008 Paris, tél. : 47 42 60 11.
Dans le comptoir des thés de cette maison plus que centenaire, on trouve une soixantaine de thés en vrac : grands crus, mélanges exclusifs ou parfumés. Les amateurs de Darjeeling apprécieront le Jungpana du délicieux goût de pêche mûre, mais ils pourront aussi essayer le Kee-Yu, un mélange inhabituel de thés de Chine, moelleux. On peut aussi déguster un thé, chaque jour différent.

GALERIES LAFAYETTE
40, boulevard Haussmann,
75009 Paris, tél. : 42 82 34 56.
Dans la boutique «Gourmet», le comptoir des thés propose une quarantaine de variétés : de nombreux thés parfumés et surtout des thés d'Asie, parmi lesquels six Darjeeling, un Gunpowder de Formose et trois thés verts du Japon. Comptoir de dégustation sur place.

HÉDIARD
21, place de la Madeleine,
75008 Paris, tél. : 42 66 44 36.
Dans la petite annexe rouge, une serveuse érudite propose une centaine de thés différents : soixante-dix parfumés, vingt-huit classiques et trois déthéinés. Le célèbre Mélange Hédiard côtoie une superbe gamme de grands crus de Darjeeling dont le si léger Puttabong. Hédiard propose aussi une sélection de thés en sachets, des boîtes de thé à la marocaine (avec menthe et sucre) ainsi que quelques mélanges de Fortnum and Mason.

MARIAGE FRÈRES
30-32, rue du Bourg-Tibourg,
75004 Paris, tél. : 42 72 28 11.
13, rue des Grands-Augustins,
75006 Paris, tél. : 40 51 82 50.
Une fois franchi le seuil de ces deux boutiques aux vitrines ravissantes, on se trouve dans un film ou dans un musée. Près d'un comptoir colonial, entre des caisses de thés de Chine, on fait son choix parmi plus de trois cent cinquante thés. Cet exercice périlleux est facilité par un petit catalogue, que l'on peut acheter, et des vendeurs compétents, qui vous orientent à travers les trente pays producteurs, les mélanges exclusifs et les Puttabong, Namring Upper ou autres Darjeeling de rêve. Pour les préparer, plus de trois cents services à thés et théières de modèle ancien ou moderne, samovars, infuseurs à thé, sucre candi, boîtes en fer ou en écorce de cerisier et bougies parfumées au thé. On trouvera également quatre variétés de gelées et bonbons à base de thé, cinq chocolats fourrés d'une ganache au thé. Enfin, des nattes de thé à plonger dans son bain pour le parfumer. Un très grand choix de théières en fonte, porcelaine, céramique, métal argenté, dont le modèle 1930, dans lequel le thé est servi dans le salon, et qui garde le thé à la bonne température. Réédition d'un *tea caddy* du XVIIIe siècle d'origine anglaise dans un coffret de bois précieux. Mariage Frères vient d'ouvrir un très joli petit « musée du Thé » rue du Bourg-Tibourg, où sont exposés des objets des XVIIIe et XIXe siècles fort rares.

MARKS AND SPENCER
35, boulevard Haussmann,
75009 Paris, tél. : 47 42 42 91.
Ce grand magasin anglais distribue, sous sa propre marque (St. Michael), une douzaine de thés classiques : Earl Grey, Darjeeling, Extra Strong, Breakfast, Fine Flavour... On trouve aussi ces thés dans les Marks and Spencer de Vélizy II, Marly II, Rosny et de province où l'on peut également acheter *buns*, *scones*, *muffins* pour un véritable thé à l'anglaise.

LE PALAIS DES THÉS
35, rue de l'Abbé-Grégoire,
75006 Paris, tél. : 43 21 97 97.
21, rue Raymond-Losserand,
75014 Paris.
Dans cette boutique aux boîtes grises, il y a trois cents thés commentés dans un petit catalogue, des samovars anciens ou récents, des théières, tous les objets du rite du thé et la bibliothèque complète du théophile avec un très net penchant pour la Russie. Pour le samovar, un thé de Géorgie, d'Azerbaïdjan ou du Caucase ou l'un des neuf Goût Russe. Également en vente, le fameux Thé des Moines et les thés de la Compagnie Coloniale conditionnés en sachets de mousseline. Le catalogue vous sera offert gracieusement. Vente par correspondance.

TWININGS
76, boulevard Haussmann,
75008 Paris, tél. : 43 87 39 84.
Dans un décor très britannique on trouve la gamme complète des thés de la maison Twinings, fournisseur officiel de la famille royale britannique. Des thés en boîte de 200 g et en sachets et une sélection de thés en vrac : soixante thés parfumés (cannelle avec morceaux, whisky),

trente-trois classiques aux goûts anglais ou plus rares comme le Thé de Perse, ainsi qu'un grand choix de théières.

VALADE
21, boulevard de Reuilly, 75012 Paris, tél. : 43 43 39 27.
Une centaine de thés fumés, aromatisés, verts ou noirs et une grande variété de thés de Chine (Ching Wo, Congou, Caravane), de jardins d'Assam (Keylung et Napuk) ou de Darjeeling (Jungpana, Bloomfield). Également, une vingtaine de thés en sachets de mousseline et de nom-

breux accessoires : cuillères, filtres, théières en terre, passoires et boîtes à thé. Catalogue offert.

VERLET

256, rue Saint-Honoré,
75001 Paris, tél. : 42 60 67 39.
Verlet fait partie de ces artisans commerçants respectés pour leur talent. Plus connu pour ses cafés, il a cependant une trentaine de thés, sévèrement sélectionnés et vendus en vrac. La Chine est à l'honneur avec l'Impérial, le Fleurs Blanches et le Szechwan ; Ceylan et Inde également, dont le mélange Talisman au goût fumé créé pour la maison Cristofle. Les amateurs de sachets mousseline trouveront un Silver Pot Darjeeling vendu dans une belle boîte en bois. Possibilité de déguster sur place, mais les parfums du café sont trop forts pour permettre d'apprécier les thés proposés.

LONDRES

BETJEMAN AND BARTON

43, Elizabeth Street, London SWIN 9 PP, tél. : 71 823 3273.
Installé à Londres depuis 1985, ce magasin propose les thés Betjeman and Barton en vrac, en boîtes de 125 g et 50 g ou en sachets de nylon. Les cent soixante thés venus d'Inde, de Chine, d'Afrique, parfumés, mélangés ou fumés côtoient *tea caddies* anciens, services à thés en porcelaine ou en argent, cuillères à thé et pinces à sucre. Tous les éléments qui font le rite du thé d'outre-Manche.

FORTNUM AND MASON

181 Piccadilly, London W1A 1ER, tél. : 71 734 8040.
Fournisseur de l'aristocratie britannique depuis bientôt trois siècles, Fortnum and Mason est une institution. On se presse au rayon des thés devant les quarante boîtes vertes ou rouges qui renferment Darjeeling, Assam, Ceylan, Formose ou Chine et surtout les fameux mélanges Royal, Crown, Celebration, Breakfast, Fortmason, New York, Queen Anne...

On peut si l'on veut déguster sur place quelques-uns de ces thés.

HARRODS

Knightsbridge, London SWI, tél. : 71 730 1234.
Dans le célèbre «Food Hall» au décor étonnant, la boutique de thé vend des thés de Betjeman and Barton. Le préféré du prince Charles : le mélange Pouchkine aux saveurs de bergamote et d'agrumes.

TEA HOUSE

15a Neal Street, Covent Garden, London WC2 9PU, tél. : 71 240 7539.

Dans cette boutique originale à la façade de briques rouges et noires, des thés (quarante-cinq sortes) d'Inde, de Chine, du Japon, ainsi qu'un *Teaphernalia*, c'est-à-dire des objets et des produits en rapport avec le thé. Les thés peuvent être commandés par correspondance. Même boutique à Oxford et Statford upon Avon.

TWININGS

216 The Strand,
London, tél. : 71 353 3511.
La plus ancienne boutique de Londres, fondée en 1706 par Thomas Twining, propose plus de cinquante thés. On peut y visiter un joli petit musée avec la plus grande théière du monde.

WHITTARD & CO. LTD.

81 Fulham Rd, SW 3, Chelsea, London, tél. : 71 589 4261.
L'une des plus anciennes maisons de thé de Londres ; importe de Chine, du Japon, de Ceylan et de Formose. Ses thés les plus appréciés sont le Mango Indica, Spice Imperial et Darjeeling «first flush».

MARQUES DE THÉ

En dehors des boutiques spécialisées, il est possible de se procurer un grand choix de thés de qualité dans de nombreuses épiceries fines et grands magasins. Voici les marques les plus distribuées en France.

ANGLAS

Créée au XIXe siècle à Varsovie, cette marque est vendue au Bon Marché, chez Pier Import et dans les épiceries fines. Elle propose une trentaine de thés dont un Lapsang Souchong et un Ceylan Grande Feuille n° 74 très réputés.

BETJEMAN AND BARTON

Créée en 1919 à Paris par un Anglais, cette marque maintenant française est vendue dans le monde entier, y compris au Japon et en Grande-Bretagne. On ne s'étonnera donc pas de trouver, dans les boîtes rouges ou vertes, cent soixante thés parmi les plus beaux de toutes les provenances. Mais aussi des mélanges uniques, les Quatres Saisons, élaborés avec autant de soins qu'un parfum. Tous ces thés peuvent être commandés par correspondance à la boutique du 23, boulevard Malesherbes, 75008 Paris, où l'on peut aussi obtenir la liste des boutiques Betjeman and Barton en province et à l'étranger.

CARREFOUR

Quatre variétés de thés choisis par Carrefour et importés directement traités avec grand soin, présentés en sachets de nylon fabriqués au Japon.

COMPAGNIE COLONIALE

La seule marque de grande distribution qui propose des thés conditionnés dans des mousselines de coton à l'ancienne. Dans les grandes surfaces on retrouve les célèbres boîtes bicolores de 150 g et les aumônières de mousseline contenant des Chine, Darjeeling et Ceylan. Par ailleurs, dans les réseaux spécialisés, la Compagnie Coloniale distribue une centaine de thés en vrac provenant des plus grands jardins. Parmi eux un merveilleux Darjeeling Castleton et pour le matin un rare Ceylan Orange Pekoe High Grown Saint-James sont le reflet des exigences de cette nouvelle distribution de la maison.

ÉLÉPHANT
Le fameux petit éléphant se vend presque partout en boîtes de 25 sachets. Un pur Ceylan, trois thés déthéinés (nature, Ceylan, Earl Grey) et sept thés parfumés aux divers fruits et agrumes.

FORTNUM AND MASON
Depuis 1707 ces deux noms représentent le goût et la tradition britanniques. Les mélanges célèbres de cette prestigieuse maison sont disponibles dans quelques grands réseaux : Monoprix, Inno, Bon Marché et dans de nombreuses épiceries fines. La gamme complète de ces thés (quarante variétés) n'est pas disponible en France. On trouve néanmoins une vingtaine de mélanges dans les boîtes vertes de 125 g et 250 g ou en sachets ; classiques comme le Queen Anne et le Prince of Wales, ou nouveau comme le New York Blend, un thé spécialement étudié pour l'eau de New York ! La Brûlerie de l'Odéon et Estrella en proposent une bonne sélection.

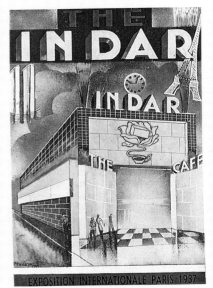

EXPOSITION INTERNATIONALE PARIS 1937

INDAR
Fondée en Russie à la fin du XIXe siècle, présente dès 1929 en France, cette maison distribue essentiellement des mélanges et des thés aromatisés dans des confiseries, pâtisseries, épiceries, brûleries. Le mélange Boudoir est une exclusivité, qui était le mélange préféré du dernier roi de Roumanie.

KOUSMICHOFF
Spécialiste des goûts russes depuis le XIXe siècle, distribué au Bon Marché, chez Pier Import et dans les épiceries fines, il propose cent thés, tous numérotés, dont le n° 50 faible en théine pour le soir et le n° 24 pour le matin sont les plus célèbres.

LENÔTRE
Lenôtre propose pour les amateurs une sélection de treize thés, vendus dans des boîtes métalliques rouges disponibles dans les magasins Lenôtre de Paris et de la Région parisienne. Bon choix de Chine (Grand Foochow, Kwantung O.P.) et plusieurs mélanges dont le mélange Lenôtre composé de thés indiens et chinois relevés d'agrumes.

LIPTON
On trouve les fameuses boîtes octogonales dans toutes les grandes surfaces et beaucoup d'épiceries. Le dernier né, Sir Thomas J. Lipton, est un mélange Darjeeling-Ceylan à boire l'après-midi, qui complète la gamme des classiques. Lipton Yellow, Royal Ceylan, Orange Windsor, Earl Grey, Darjeeling Himalaya, Imperial Russia, English Breakfast, sont vendus en coffrets ou en sachets.

LYONS
Thés de grande distribution, on les achète dans les hyper et supermarchés ou dans les épiceries. Six thés classiques vendus en boîtes de 100 g ou en sachets : English Breakfast, Goût Russe, Super Ceylan, Darjeeling, Earl Grey, Lapsang Souchong. Et aussi vingt références de thés parfumés.

MARIAGE
Les thés de l'une des plus anciennes marques françaises sont disponibles, dans leur totalité, aux deux adresses ci-dessus et par correspondance. Dans ses comptoirs, aux Galeries Lafayette et au Bon Marché, on trouve une sélection de soixante thés. Il y a dans le catalogue une rare abondance de provenances inhabituelles dont le Kenya Marinyn G.F.O.P., mais aussi des jardins de Darjeeling à vous faire tourner la tête comme le «first flush» de Castelton, des mélanges classiques exclusifs, un thé de Turquie pour les amateurs de samovar, un «thé» rouge (infusion) d'Afrique du Sud qui ne contient pas de théine et un Oolong de Formose roulé à la main. En tout trois cent cinquante thés différents, et parfois plus selon les saisons.

MÈNES
Il y a peu de temps que cette célèbre marque d'épicerie fine propose du thé, distribué dans les Casino, Félix Potin, Prisunic et petites épiceries. Cinq standards classiques ont été retenus : Darjeeling, Earl Grey, Breakfast, Orange Pekoe et Chine.

PAGÈS
Des supermarchés aux épiceries, les sachets Pagès sont très présents. Les Ceylan, Chine, Darjeeling et Earl Grey ont été complétés par huit thés parfumés. Distribués par Pagès «Bouquet de France», deux thés aromatisés sont en sachets, l'un citron-menthe et l'autre cannelle-orange.

TETLEY
On les trouve au Bon Marché, à Inno, la Samaritaine, Euromarché, Uniprix et Monoprix. En paquets de 200 g ou en sachets il y a six standards : Corsé, Keemun, Darjeeling, Super Ceylan, Earl Grey et Light.

TWININGS
Leclerc, Félix Potin, le Bon Marché, Casino, Gem distribuent les boîtes de 200 g et les sachets Twinings, Earl Grey, Golden Pekoe, English Breakfast, Darjeeling Grand Cru, Golden Pekoe, Imperial Orange, Ceylan Orange, Jasmin Oriental, Prince de Galles, Lapsang Souchong, Ceylan Scotland et sept parfums de fruits. La gamme Serenity, des thés déthéinés, n'est quant à elle, vendue qu'en sachets.

LE THÉ
EN CHIFFRES

Le thé est une boisson de renommée mondiale, mais inégalement consommée. Ces dernières années ont vu un accroissement général de la consommation, notable dans le sous-continent indien. Par ailleurs, la Grande-Bretagne a vu sa consommation stagner, voire régresser, tout en restant le pays leader des buveurs de thé.

En France les importations n'ont cessé de croître depuis 1960, passant de 1 647 tonnes à 6 326 en 1988. D'après l'office de statistique Nielssen, dans les grands magasins et aussi la grande distribution, où se font 8% des ventes, 74 % des thés sont vendus en sachets. Les femmes en boivent deux fois plus que les hommes et c'est l'apparition du thé parfumé ainsi que les voyages et l'ouverture à d'autres cultures qui ont rallié les jeunes à cette boisson.

Les Soviétiques viennent de ravir aux Britanniques la première place pour l'importation du thé : en 1989 l'U.R.S.S. a importé 227 000 tonnes de feuilles de thé, devançant la Grande-Bretagne qui en a importé 200 000 tonnes.

Les pays producteurs de thé figurent en vert foncé sur la carte ci-contre : l'Australie, le Bangladesh, le Bhoutan, la Birmanie, le Burundi, la Chine, la Corée, l'Ile Maurice, l'Inde, l'Indonésie, l'Iran, le Japon, le Kenya, la Malaisie, le Malawi, le Mozambique, le Népal, l'Ouganda, le Pakistan, le Rwanda, le Sri Lanka, Taïwan, la Tanzanie, la Thaïlande, la Turquie, l'URSS, le Viêt-nam, le Zaïre et le Zimbabwe.
Outre ces pays, le Cameroun, le Brésil et l'Argentine, qui ne pouvaient tenir dans le cadre de cette carte, produisent également du thé.

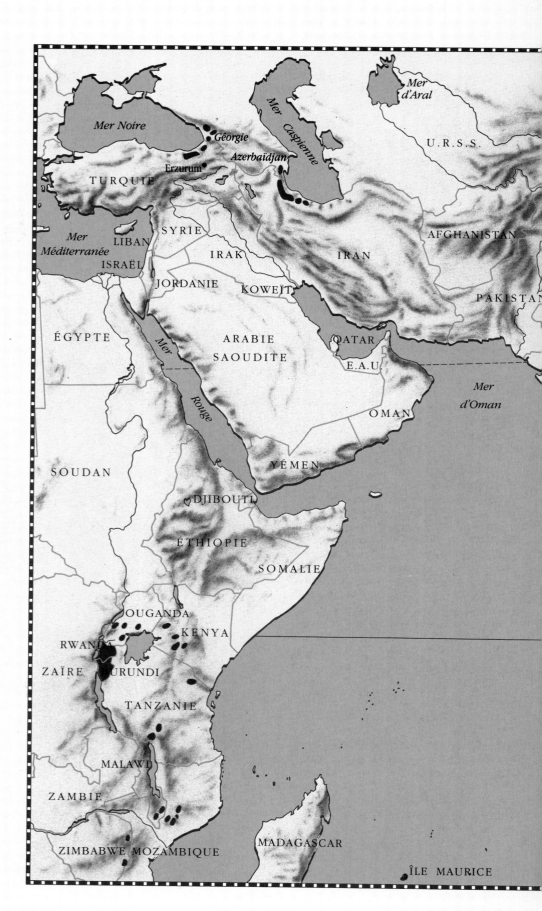

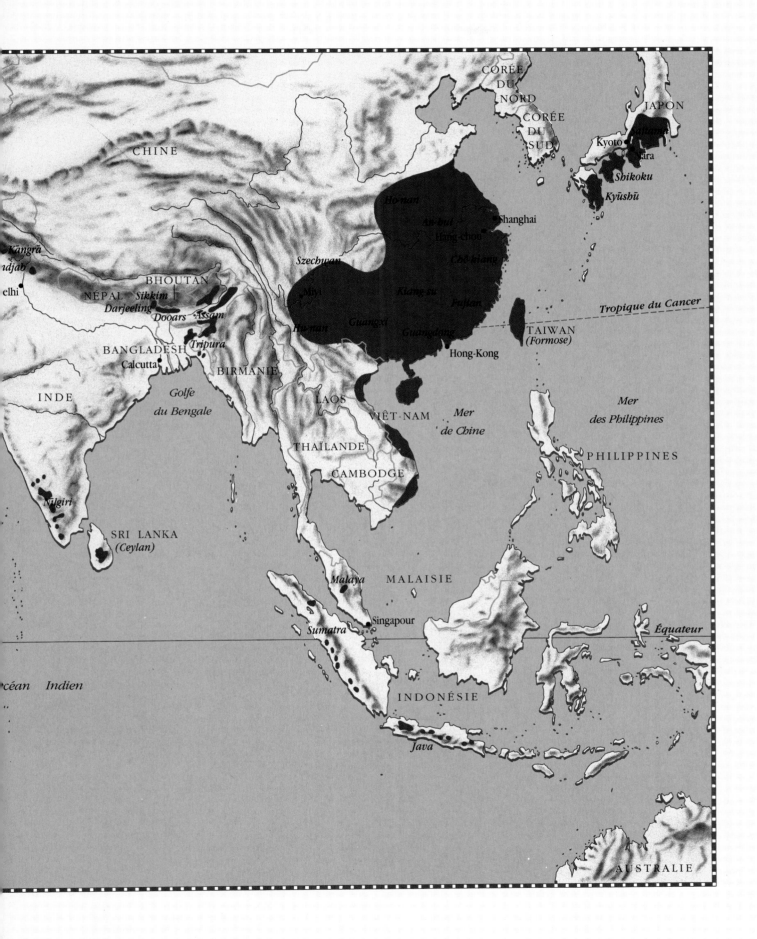

CHINE

CORÉE
DU
NORD

CORÉE
DU
SUD

JAPON

Kyoto
Saitama
Nara
Shikoku
Kyūshū

Ho-nan
An-hui
Shanghai
Hang-chou
Chê-kiang
Szechwan
Kiang-su
Miyi
Fujian
Hu-nan
Guangxi
Guangdong

Tropique du Cancer

TAIWAN
(Formose)

Hong-Kong

Kangra
Pendjab
Delhi
BHOUTAN
NÉPAL
Sikkim
Darjeeling
Dooars
Assam
BANGLADESH
Tripura
Calcutta
BIRMANIE

INDE

Golfe
du Bengale

LAOS

VIÊT-NAM

Mer
de Chine

Mer
des Philippines

PHILIPPINES

THAÏLANDE

CAMBODGE

Nilgiri

SRI LANKA
(Ceylan)

Malaya
MALAISIE

Singapour

Sumatra

Équateur

Océan Indien

INDONÉSIE

Java

AUSTRALIE

Le niveau de la production mondiale, particulièrement élevé, est toujours assuré en majorité par l'Inde, la Chine et le Sri Lanka, malgré les efforts africains et surtout ceux du Kenya qui réalise les trois cinquièmes de la production de ce continent.

La Banque mondiale prévoit pour l'an 2000 une progression considérable des thés indiens (860 000 t), indonésiens (157 000 t) et Kenyans (250 000 t), ces derniers rejoignant alors ceux du Sri Lanka.

Les chiffres ci-dessous nous ont été communiqués par le Comité français du thé. Celui-ci a été créé en 1960 et il regroupe la presque totalité des importateurs de thé français. Son but est de promouvoir le thé en France.

Comité français du thé, 100, boulevard du Maréchal-de-Lattre-de-Tassigny, 92150 Suresnes

CONSOMMATION ANNUELLE PAR HABITANT
fin 1988

Qatar	3,21 kg
Irlande	3,09 kg
Royaume-Uni	2,81 kg
Turquie	2,72 kg
Irak	2,51 kg
Koweit	2,23 kg
Tunisie	1,82 kg
Nouvelle-Zélande	1,71 kg
Hong-kong	1,63 kg
Bahreïn	1,45 kg
Égypte	1,44 kg
Sri Lanka	1,42 kg
Arabie Saoudite	1,40 kg
Syrie	1,26 kg
Australie	1,22 kg
Jordanie	1,12 kg
Maroc	1,00 kg
U.R.S.S. (estimation fin 1987)	1,00 kg
Japon	0,99 kg
Chili	0,93 kg
Pologne	0,86 kg
Kenya	0,76 kg
Canada	0,62 kg
Hollande	0,60 kg
Inde	0,55 kg
Allemagne	0,50 kg
Danemark	0,45 kg
États-Unis	0,40 kg
Suède	0,39 kg
France	0,17 kg
Chine	non communiqué

N.B. : 1 kg = environ 500 tasses

PRODUCTION MONDIALE DE THÉ EN MILLIERS DE TONNES
fin 1989

Inde	735
Chine	565
Ceylan	245
Kenya	165
Turquie	155
U.R.S.S. (estimation)	120 à 140
Indonésie	135
Japon	95
Iran	50
Malawi	40
Bangladesh	38
Argentine	30
Viêt-nam	30
Taiwan	22
Zimbabwe	15
Tanzanie	14
Rwanda	12
Afrique du Sud	10
Brésil	10
Papouasie, Nouvelle-Guinée	8
Île Maurice	6
Malaisie	5
Zaire	4
Burundi	3,5
Cameroun, Pérou, Ouganda	3
Équateur	2
Mozambique	1,5
Australie	1

PRODUCTION DE THÉ EN 1989
environ 2,5 millions de tonnes
dont environ 0,6 million de tonnes de thé vert

GLOSSAIRE

ASSAM : Région du nord-est de l'Inde donnant un thé qui porte son nom, réputé pour sa force.

BLENDER : Goûteur qui décide de proportions à respecter pour retrouver le goût d'un mélange donné.

BROKEN ORANGE PEKOE (B.O.P.) : Thé noir aux feuilles brisées, jamais plates mais courbées, provenant d'une cueillette fine.
Il contient des *tips* lorsqu'il est F.B.O.P. (Flowery Broken Orange Pekoe).

BROKEN PEKOE (B.P.) : Thé noir, corsé, aux feuilles brisées, dépourvu de *tips*, provenant d'une cueillette moyenne.

CAMELLIA SINENSIS : Nom botanique du théier.

CEYLAN : Ancien nom du Sri Lanka, conservé pour les thés cultivés dans cette île.

CHING WO : Thé noir de Chine de la province de Fujian.

CHUNMEE : Thé vert de Chine désigné pour sa ressemblance avec le dessin du sourcil humain.

C.T.C. : Crushing Teaning Curling (Broyage Déchiquetage Bouclage). Méthode de fabrication mécanique qui simplifie les opérations et accélère le rythme de production des thés noirs.

DARJEELING : Province du nord de l'Inde qui donne son nom à un thé noir très réputé pour son bouquet exquis.

DIMBULA : Région du Sri Lanka qui produit des thés noirs corsés.

DOOARS : Région du nord de l'Inde donnant un thé qui porte son nom.

DUST : Thé noir à feuilles finement broyées de moins d'un millimètre.

EARL GREY : Thé parfumé à la bergamote d'après une recette chinoise.

FANNINGS : Thé noir à feuilles broyées de 1 à 1,5 mm, plus corsé que les Broken.

FLUSH : La nouvelle pousse du thé et également le nom générique donné aux récoltes des thés.

FIRST FLUSH : Nom de la première récolte de l'année.

FERMENTATION : Étape de la fabrication au cours de laquelle le thé devient noir.

FLÉTRISSAGE : Étape de la fabrication du thé noir destinée à donner à la feuille une consistance souple, la feuille fraîche perdant de son eau.

FLOWERY ORANGE PEKOE (F.O.P.) : Thé noir issu d'une cueillette fine, aux feuilles jeunes, avec une certaine proportion de fines pointes des bourgeons, *tips*, preuve de qualité.

FLOWERY PEKOE (F.P.) : Thé noir à feuilles entières roulées sur elles-mêmes.

GOLDEN TIPS : Pointes dorées des jeunes feuilles que l'on retrouve dans certains thés noirs, preuve de qualité.

GUNPOWDER, « poudre à canon » : Thé vert aux feuilles roulées en boules.

JARDIN : Nom de plantation classée, utilisé pour la classification des grands crus.

KENYA : Thé noir du Kenya, l'un des plus réputés des thés africains.

KEEMUN : Thé noir de Chine non fumé cultivé dans la province d'Anhui.

LAPSANG SOUCHONG : Thé de Chine fumé.

LEGG CUT : Procédé par lequel les feuilles sont réduites en petits morceaux par une machine, avant d'être fermentées et séchées ; le flétrissage n'est plus nécessaire. Les grades obtenus sont des Fannings et des Dust.

MATCHA : Thé vert du Japon, en poudre, utilisé pour la cérémonie du thé.

NATURAL LEAF : Feuilles de thé vert entières et non roulées.

NILGIRI : Thé noir qui pousse au sud de l'Inde dans les montagnes de Nilgiri.

OOLONG : Thé semi-fermenté, spécialité de Chine et de Formose.

ORANGE PEKOE (O.P.) : Thé noir d'une cueillette plus tardive que le F.O.P., aux feuilles de 8 à 15 mm roulées sur elles-mêmes.

PEKOE : Thé noir aux feuilles entières roulées en boules, obtenu par une cueillette grossière de la deuxième feuille.

PEKOE SOUCHONG (P.S.) : Thé noir aux feuilles entières roulées en boules, obtenu par une cueillette grossière de la troisième feuille.

ROULAGE : Opération pendant laquelle le thé libère ses arômes.

SECOND FLUSH : Nom de la deuxième récolte de l'année.

SENCHA : Thé vert le plus populaire au Japon.

SZECHWAN : Thé noir de Chine non fumé, à feuilles très fines et au goût fleuri.

TARRY SOUCHONG : Thé noir de Chine et de Formose très fumé.

TEA BROKER : Travaillant pour les acheteurs ou les vendeurs, il expertise les lots vendus aux enchères.

TEA CADDY : Boîte à thé.

TEA COSY : Couvre-théière qui tient le thé au chaud.

TEA TASTER : De la plantation jusqu'au détaillant, c'est un spécialiste qui goûte les thés.

THÉ FUMÉ : Thé noir de Chine et de Formose qui doit son goût particulier à la fumée du bois.

THÉ NOIR : Thé flétri, roulé, fermenté, desséché et trié.

THÉ PARFUMÉ : Thé noir, vert ou semi-fermenté parfumé avec des fleurs, des fruits ou leurs essences, le plus célèbre étant l'Earl Grey.

THÉ SEMI-FERMENTÉ : Intermédiaire entre le thé noir et le thé vert, il subit une fermentation courte.

THÉ VERT : Thé non fermenté, chauffé quelques minutes afin d'éviter toute fermentation.

TRIAGE : Étape de la fabrication au cours de laquelle les feuilles sont triées selon leurs grades.

UVA : Thé noir des hauts plateaux du Sri Lanka, réputé pour sa finesse.

YUNNAN : Thé noir de Chine originaire de la province de Yunnan. Ces plants, avec ceux d'Assam, sont à l'origine de tous les thés.

BIBLIOGRAPHIE

LIVRES DE REFERENCES

M. ASAD, *Le Chemin de La Mecque*, Fayard, 1976.

A. BARRET, *Afghanistan*, André Barret Éditeur/APC, 1989.

N. DE BLEGNY, *Le Bon Usage du thé*, Paris, 1684.

J. BLOFELD, *L'Art chinois du thé*, Dervy Livres, 1986.

A. BOUTILLY, *Le Thé, sa culture, sa manipulation*, Georges Carré et C. Naud Éditeurs, 1898.

C. BROCHARD, *Le Thé dans l'encrier*, Aubier, 1990.

P. BUTEL, *Histoire du thé*, Desjonquières, 1989.

K. CHOW et J. KRAEMER, *All the Tea in China*, Chine Books, San Francisco, 1991.

O. COUSSEMAC, *Le Thé*, Édition 2000, 1972.

P. DANN, *One for the Tea Pot*, Elm Tree Books, Londres, 1985.

A. DESJARDINS, *Ashrams, Grands Maîtres de l'Inde*, Albin Michel, 1990.

B. DUTAIGNE, G. ROSSIGNOL, *Le Guide de l'Afghanistan*, La Manufacture, 1989.

M. FINKOFF, *Mes jardins de thé*, Albin Michel, 1991.

T. FOLEY, *Having Tea*, Clarkson and Potter, Londres, 1987.

D.M. FORREST, *A Hundred Years of Ceylon Tea*, Chatto and Windus, Londres, 1967.

R. FORTUNE, *A Journey to the Tea Countries*, Mildway Books, Londres, 1987.

A.-L. FRANKLIN, *La Vie privée d'autrefois, le Café, le Thé et le Chocolat*, Plon, 1893.

R. GIRARD et A. LAZAREFF, *Paris-sucré*, Hachette, 1990 (nouvelle édition).

J. GOODWIN, *The Gunpowder Gardens*, Chatto and Windus, Londres, 1990.

M. HANBURY TENSON, *Book of Afternoon Tea*, David and Charles, Londres, 1980.

G. HOLT, *A cup of tea*, Pavilion, Londres.

J.-P. HOUSSAYE, *Instruction sur la manière de préparer la boisson du thé*, Paris, 1831.

J.-P. HOUSSAYE, *Monographie du thé*, Paris, 1843.

E.R. HUC, *Souvenir d'un voyage dans la Tartarie, le Tibet et la Chine pendant les années 1844, 1845, 1846*, Paris, 1849.

K. IGAGURA, *Tea Ceremony*, Hoikusha, Osaka, 1977.

J. ISLES, *A Proper Tea*, Piatkus, Londres, 1987.

A. ISRAEL et P. MITCHELL, *Prendre le thé*, Éditions Minerva, 1991.

J. JUMEAU-LAFOND, *Le Thé*, Nathan, 1988.

J. JUMEAU-LAFOND, S. Yi, *Le Livre de l'amateur de thé*, Laffont, 1983.

O. KAKUZO, *Le Livre du thé*, Dervy Livres, 1969.

B. KETCHAM WHEATON, *L'Office et la Bouche : Histoire des mœurs et de la table en France de 1300 à 1789*, Calmann Levy, 1984.

J.V. KLAPORTH, *Voyage à Pékin à travers la Mongolie*, Paris, 1827.

M.-T. LAMBERT, *Le Thé, boisson du monde entier*, Éditions Lambert, 1982. *La Cuisine au thé*, Éditions Lambert, 1982.

T.J. LIPTON, *Leaves from the Lipton Logs*, Hutchinson and Co., 1931, et Lipton Export Limited, 1986.

D.R. MAC GREGOR, *The Tea Clippers*, Percival Marshall, Londres, 1952.

J. MASFIELD, *La Course du thé*, Plon, 1939.

C. MARONDE, *J'aime le thé*, Éditions Robert Morel, 1969 ou édition originale en allemand : *Rundum den Tee*, Fischer TaschenbuchVerlag.

F. MASSIALOT, *Nouvelle Instruction pour les confitures, les liqueurs et les fruits*, Paris, 1692.

F. DE MAULDE, *Sir Thomas Lipton*, Gallimard, 1990.

J. MELOR, *This Little Tea Book*, Piatkus, Londres, 1988.

J. NIEUHOFF, *L'Ambassadeur de la Compagnie orientale*, Leyde, 1665.

J. NORMAN, *Tea and Tisanes*, Dorling Kindersley, Londres, 1989.

M. PATTEN, *The Complete Book of Tea*, Piatkus, Londres, 1989.

J. PETTIGREW, *Tea Time*, Le Chêne, 1987.

H. PRASAD SHASTRI, *Écho spirituel du Japon*, Dervy Livres, 1985.

B. RAISON, *L'Empire des objets*, Du May, 1989.

R.K. RENFORD, *The Non-Officiel British in India to 1920*, Oxford University Press, 1987.

J. RUNNER, *Le Thé*, PUF, 1974.

M. SCHIAFFINO, *L'Heure du thé*, Gentleman Éditeur, 1987.

H. SIMPSON, *The London Ritz Book of Afternoon Tea*, Ebury Press, Londres, 1987.

M. SMITH, *Afternoon Tea*, Macmillan, Londres, 1986.

S. SOSHITSU, *Vie du thé, esprit du thé*, Jean-Cyrille Godefroy, 1982.

P. SYLVESTRE-DUFOUR, *Traités nouveaux et curieux du café, du thé et du chocolat*, Lyon, 1865.

D. TAISEN, *La Pratique du zen*, Albin Michel, 1990.

S. TWININGS, *Two Hundred and Fifty Years of Tea and Coffee, 1706-1956*, Twinings, Londres, 1956.

J. WEATHERSTONE, *The Pionniers, 1825-1900*, Quiller Press, Londres, 1986.

A. WHIPPLE, *Les Clippers*, Time-Life, 1980.

R. WOLF, *Le Goût du Japon*, Flammarion, 1987. *Le Goût de la Chine*, Flammarion, 1989.

CATALOGUES, REVUES

Asie, Regards et contre-regards.
Dossier : le Thé, revue, 1987.
Voyages dans les marches tibétaines.
Catalogue de l'exposition du musée de l'Homme.

À LIRE DANS UN SALON DE THÉ

J. ALMIRA, *Le Bal de la guerre ou la Vie de la princesse des Ursins*, Gallimard, 1990.

V. BLASSEL, *Thé ou Café Monsieur le Ministre*, Balland, 1990.

J. BOUSQUET, *Un amour couleur de thé*, Verdier, 1984.

P. BOWLES, *Un thé sur la montagne*, Rivages, 1989.

M. CHAREF, *Le Thé au harem d'Archi Ahmed*, Mercure de France, 1983.

N. CHATELET, *Histoire de bouche*, Mercure de France, 1986.

A. CHRISTIE, *Une tasse de thé*, in *Associés contre le crime*, Le Masque, 1972.

J.-L. CURTIS, *Le Thé sous les cyprès*, Éditions Julliard, 1969.

A. DAVIDSON, *A Kipper with my Tea*, Mac-Millan, Londres, 1988.

C. DICKENS, *Livres de Noël*, La Pléiade, 1979.

L. FACUNDES TELLES, *Un thé bien fort et trois tasses*, Alinéa, Aix-en-Provence, 1989.

M. FINKOFF, *Mes jardins de thé*, Albin Michel, Paris, 1990.

M. GÁGARINE, *Le Thé chez la comtesse*, Laffont, « Vécu », Paris, 1990.

M. GOSCINNY, A. UDERZO, *Astérix chez les Bretons*, Dargaud, 1966.

C. JARRETT, *Le Goût du thé indien*, Olivier Orban, Paris, 1990.

M. JOURDAN, *Le Bois brut de la maison du thé et de la barque vide*, Denoël, 1984.

G.-G. LEMAIRE, *Un thé au Bloomsbury, l'art autour de Virginia Woolf*, Henri Veyrier, Paris, 1990.

E. MAILLART, *La Voie cruelle*, Payot, 1989.

N. MANEA, *Le Thé de Proust et autres nouvelles*, Albin Michel, Paris, 1990.

P. MONNET, *Sur la route des clippers*, Arthaud, Paris, 1990.

P. MOYES, *Thé, cyanure et sympathie*, Le Masque, 1988.

M. PANKOWSKY, *Le Thé au citron*, Actes Sud, Arles, 1988.

M. PAVIC, *Paysage peint avec le thé*, Belfond, 1989.

L. SHE, *La Maison du thé*, Pékin, Édition en Langues Étrangères, 1980.

W. SCHMITT, *Tea*, Harenberg Édition, Dortmund, 1986.

B. TAM, *Thé à l'opium*, Laffont, 1988.

CRÉDIT PHOTOGRAPHIQUE

P. 2-3, 4-5, 6-7, Mariage Frères-J.-P. Dieterlen ; p. 8, Hulton Picture Company ; p. 10, Dargaud ; p. 11, Keystone/Photosource, London ; p. 13, Hulton Picture Company ; p. 14, Bettman Archive ; p. 15, sérigraphie pour la librairie «Temps futurs», collection Gilles Brochard ; p. 17, Hulton Picture Company ; p. 18, 19, Keystone/Photosource, London ; p. 20, A. Sharma ; p. 22, Rapho/Dinkins ; p. 23, F.-X. Bouchart ; p. 24, 25, Rapho/Michaud ; p. 27, Explorer, Koening ; p. 28, Rapho, Michaud ; p. 31 (haut), Magnum/McCurry ; p. 30, A. Sharma ; p. 31 (bas), F.-X. Bouchart ; p. 32, J. Chawla ; p. 33, F.-X. Bouchart ; p. 34, Rapho/Sarramon ; p. 35, F.-X. Bouchart ; p. 36-37, Rapho/Michaud ; p. 38, G. de Laubier ; p. 39, A. Sharma ; p. 41, G. de Laubier ; p. 42, Explorer (Maltaverne) ; p. 43, A. Sharma ; p. 45, Magnum/Davidson ; p. 46, Explorer (Gobert) ; p. 49, Magnum/Arnold, Explorer/Nacivet ; p. 50, Magnum/Burri ; p. 51, Explorer/Nacivet ; p. 52, Explorer/Leroy ; p. 54, 55, A. Sharma ; p. 56, R.M.N. ; p. 58, Royal Botanic Gardens ; p. 59 (haut), Rijksmuseum, Leiden ; p. 61, National Maritime Society ; p. 62, Anglo-chinese school : East India Company officers in audience with high Ranking Chinese officials, Galerie Spink & Son Ltd, London ; p. 64, British Museum ; p. 66-67, Hong-Kong Museum of Art ; p. 68, 70, Dröscher/J. Thomson ; p.71, Coll. A. Kahn/Dpt Hauts de Seine ; p. 73, Peabody Museum of Salem ; p. 74, 75, Royal Geographical Society ; p. 77, India Office Library ; p. 79, 80, 81, University of Cambridge/P. Ellis ; p. 82, Royal Commonwealth Society ; p. 83, Royal Commonwealth Society ; p. 86 (haut), Public Record Office/Crown Copyright ; p. 86, Royal Commonwealth Society ; p. 86 (bas), Lipton ; p. 87, Public Record Office/Crown Copyright ; p. 88, British Museum ; p. 89, 90, 91, R. Twinings ; p. 92 (haut), F.-X. Bouchart ; p. 92, Beken and Cowes ; p. 94, 95, 96, 97, Lipton ; p. 98, Butlers Wharf Archives, London ; p. 99, Keystone Paris ; p. 100, Hulton Picture Company ; p. 102, B. Brandt/Noya Brandt ; p. 103, Biblio. Forney ; p. 105 (haut), Hulton Picture Company ; p. 105 (bas), Royal Geographical Society ; p. 106, 107, Aaron/DR ; p. 108, Rapho/Deshayes ; p. 109, Sirot-Angel ; p. 111, Rapho/Charles ; p. 112 (haut), Explorer/Breton ; p. 112 (centre), M. Garanger ; p. 112 (bas), M. Walter ; p. 113, M. Lituin ; p. 115, Victoria and Albert Museum ; p. 116, Arthaud/Beato ; p. 117, Arthaud/Société de Géographie ; p. 118, 119, Retonia/Futagauta ; p. 120, J.-P. Dieterlen ; p. 121, Rapho/Silvester ; p. 122-123, Magnum/Riboud ; p. 124, Magnum/Rai ; p. 125, Henry Wilson, photo extraite de l'ouvrage *The Taste of India* publié par Pavillion, Londres ; p. 128, Magnum/Mc Curry ; p. 129, Magnum/Rai ; p. 130, Victoria and Albert Museum ; p. 131, Coll. A. Kahn/Département des Hauts-de-Seine ; p. 133, Liliane Dreyfus ; p. 134, Roger-Viollet ; p. 135 (haut), M. Garanger ; p. 135 (bas), Victoria and Albert Museum ; p. 136-137, Magnum/Arnold ; p. 138, M. Garanger ; p. 139, F.-X. Bouchart ; p. 140, Magnum/Lessing ; p. 141, Stylograph/Jacques Dirand ; p. 142 (haut), Stylograph/Jacques Dirand ; p. 142 (bas), K. Haavisto, photo extraite de *Russian Houses* publié par Stewart, Tabori and Chang, New York ; p. 143, Gerd Spans ; p. 144, Hamburger Kunsthalle/R. Kleinhemsel ; p. 145, Kunstmuseum, Bern ; p. 146, P. Broquet ; p. 146 (vignette), Metropolitan Museum of Art ; p. 147, F.-X. Bouchart ; p. 148-149, Archiv für Kunst und Geschichte, Berlin ; p. 150 (haut), Van Ahee & Claassen Advocaten, Zurolle ; p. 150 (bas), Gemeente Museum, Arnhem ; p. 151, Boymans van Beunigen, Rotterdam ; p. 152, 153, Rijksuniversiteit, Leiden/C. Rensing ; p. 154, Victoria and Albert Museum ; p. 155, Toledo Museum of Art ; p. 156, Science Museum, London ; p. 157, Private Collection, New York ; p. 158, 159, 160, Hulton Picture Company ; p. 161, Public Record Office/Crown Copyright ; p. 162, F.-X. Bouchart ; p. 163 (haut), T. Annan, Glasgow ; p. 163 (bas), Tea House, Fincheey ; p. 164, 165, Keystone/Photosource/London ; p. 166-167, Hulton Picture Company ; p. 168, Photographers International/Imapress ; p. 169, National Portrait Gallery, London ; p. 170, Claridge's, London ; p. 171, J. P. Dieterlen, photo prise sur fond de tissu Pierre Frey ; p. 173, Monbray House Press/ D. Mc Gregor ; p. 174, 175, Museum of Fine Arts, Boston ; p. 176/177, Dodd Mead and Co. ; p. 178-179, Beettmann Archive ; p. 180, Metropolitan Museum of Art ; p. 182-183, R.M.N. ; p. 184, Thyssen-Bornemisza ; p. 185, University of Glasgow/Hunterian Art Gallery ; p. 186, Giraudon ; p. 187, Roger-Viollet ; p. 188 (haut) Roger-Viollet ; p. 188 (bas) Mariage Frères ; p. 189, F.-X. Bouchart ; p. 190, F.-X. Bouchart/Debuisson ; p. 191, Roger-Viollet ; p. 192, 193, B. Lomony ; p. 194, L. Vuitton ; p. 195, Gerd Spans ; p. 196, Hulton Picture Company ; p. 198, Hervé Amiard ; p. 200, Jahreszeiten Verlas/G. Spans ; p. 201, Rapho/Michaud ; p. 202 (haut), Hervé Amiard ; p. 202 (vignette), G. Godden ; p. 203, M. Walter ; p. 204, Michel Guillard/Scope ; p. 205, Bettmann Archive ; p. 206, Jacques Boulay ; p. 208-209, J.-P. Dieterlen ; p. 211, Bettmann Archive ; p. 213, Stylograph/Lyman ; p. 214-215, J.-P. Dieterlen ; p. 216, Stylograph/Lipman ; p. 218, M. Jeziorowska ; p. 219, Kari Haavisto, photo extraite de *Russian Houses* publié par Stewart, Tabori and Chang, New York ; p. 220 (haut), Pierre Hussenot ; p. 220 (bas), G. Godden ; p. 222-223, J.-P. Dieterlen ; p. 224, photo Marco de Valdivia, boîtes de chez Malletts, Londres ; p. 225, Guillaume de Laubier/Elle ; p. 226-227, J.-P. Dieterlen ; p. 228, Bettmann Archive ; p. 229, Michel Dubois ; p. 230 (à gauche), Michel Guillard/Scope ; p. 230 à 237 inclus J.-P. Dieterlen (colonnes centrales) ; p. 235 (droite), Jacques Boulay ; p. 236 (gauche), Betjeman and Barton ; p. 239, Jacques Boulay.

INDEX

À LA MÉMOIRE DE JANE GRIGSON
QUI AURAIT DÛ COLLABORER À CE LIVRE. EN TÉMOIGNAGE
DE RECONNAISSANCE POUR SON TALENT ET
LES CONSEILS PRÉCIEUX QU'ELLE NOUS A PRODIGUÉS.

REMERCIEMENTS

L'éditeur et les auteurs remercient tout particulièrement monsieur Kitti Cha Sangmanee de Mariage Frères pour les informations si précieuses qu'il leur a prodiguées tout au long de la rédaction de cet ouvrage. Les chapitres des «Jardins de thé» et du «Goût du thé» n'auraient pu être conçus sans lui. Ils remercient également monsieur Didier Jumeau-Lafond de Betjeman and Barton.

Ils remercient madame Mihoko Tsutsumi de la Fondation Urasenke qui les a si aimablement renseignés sur la cérémonie du thé.

Ils tiennent également à exprimer leur reconnaissance à Valérie Barac'h pour ses minutieuses recherches de documents, à monsieur SHG Twining à Londres.

Un grand merci aussi à Emmanuelle Rendu, Gilles Paris et Egert Schröder.

L'éditeur remercie enfin Maud Arqué, Terence Conran, Claude Frioux, Kari Haavisto, Grace Kirschenbaum, Lothar Menne, Olivier Scala du Comité français du thé, Spink and Son, Helen Sudell, l'agence Stylograph et Colin Webb qui lui ont permis de se procurer documents, photographies et cartes indispensables à la précision de son information, ainsi que Marianne Perdu et Laurence Raverdy pour leurs précieuses corrections.